THE TEACH YOURSELF BOOKS

ITALIAN PHRASE BOOK

Some other Teach Yourself Books

———

French Phrase Book

German Phrase Book

Modern Greek Phrase Book

Russian Phrase Book

Serbo-Croatian Phrase Book

Spanish Phrase Book

Swedish Phrase Book

THE TEACH YOURSELF

ITALIAN PHRASE BOOK

TEACH YOURSELF BOOKS

ST. PAUL'S HOUSE   WARWICK LANE   LONDON EC4

First printed 1954
This impression 1969

All rights reserved. No part of this publication
may be reproduced or transmitted in any form or
by any means, electronic or mechanical, including
photocopy, recording, or any information storage
and retrieval system, without permission in
writing from the publisher.

SBN 340 05799 8

*Printed in Great Britain for The English Universities Press Ltd.,
by Richard Clay (The Chaucer Press), Ltd., Bungay, Suffolk.*

CONTENTS

	PAGE
INTRODUCTION	vii
PRONUNCIATION	11
THE PHONETIC ALPHABET	12
A SKELETON OUTLINE OF ITALIAN	15
CONJUGATION OF THE VERBS	33
LIST OF THE COMMON IRREGULAR VERBS	38

THE PHRASE BOOK

PASSPORT FORMALITIES	45
CUSTOMS	46
TRAVELLING BY RAIL	47
TRAVELLING BY CAR	52
TRAVELLING BY SEA	56
TRAVELLING BY AIR	59
TRAVELLING BY BICYCLE	61
THE TOWN, CITY	62
HOTELS	66
RESTAURANTS AND MEALS	70
SHOPPING	78
POST OFFICE	85
TELEPHONE	88
CORRESPONDENCE	91
BANKING	100
NUMERALS	105
COINAGE, WEIGHTS, MEASURES	110
THE HUMAN BODY, HEALTH: AT THE DOCTOR'S, AT THE DENTIST'S	113
AT THE BARBER'S, HAIRDRESSER'S	120

		PAGE
CLOTHING	. . . .	123
AT THE THEATRE	. . . .	129
CINEMA	. . . .	134
WIRELESS	. . . .	135
PHOTOGRAPHY	. . . .	138
GYMNASTICS AND ATHLETICS	. . . . .	140
FOOTBALL	. . . .	142
LAWN TENNIS	. . . .	143
GOLF	. . . .	144
RIDING AND RACING	. . . . . .	145
HUNTING AND SHOOTING	. . . . . .	148
FISHING	. . . .	149
SWIMMING	. . . .	151
ROWING, BOATING	. . . . . .	153
SAILING	. . . .	154
BOXING	. . . .	156
WINTER SPORTS	. . . .	157
MOUNTAINEERING	. . . .	159
GAMES	. . . .	161
TIME	. . . .	163
WEATHER	. . . .	168
PAYING A CALL, GREETINGS, REQUESTS, EXPRESSIONS OF THANKS, OF REGRET, APOLOGIES, ENQUIRIES	.	171
PUBLIC NOTICES	. . . .	179
NEWSPAPERS, BOOKS	. . . . . .	180
THE HOUSE	. . . .	183
COUNTRIES AND NATIONS	. . . . .	187
ARMY, NAVY, AIR FORCE	. . . . .	193
IN VENICE	. . . .	201

INTRODUCTION

A STAY in Italy is infinitely more satisfying and delightful when one can enter into direct communication with Italians. It is true that the sunshine, the lovely views, the ancient remains of Roman days, the churches of the Middle Ages and of the Renaissance may all be enjoyed—without a knowledge of some Italian—but as it takes perhaps only a fortnight's concentration and practice to learn enough Italian to enable one to enter into conversation with Italians in trains, shops, cafés and sitting on a seat in the sun, why not do it? You will make friends at once if you can say a few words, for Italians are the friendliest people in the world, eager to meet the stranger half-way, eager to help him and to show him around —and with so much pride and happiness in the doing of it, that the stranger would have to be made of earth not to respond. And their interest in him is genuine; they really long to know where he comes from, and how many hours his journey took him, and whether he is married or not, and how many children he has. They will also feel flattered and delighted that he has taken the trouble to learn their language, and they will speak to him slowly and carefully, so that he may understand easily and not feel depressed at his lack of knowledge.

This is generally the Italians' greatest concern, to make the other person feel happy. And this explains all the pretty compliments and charming expressions which some people tend to dismiss as " false ". They are not in the least false, but are felt quite genuinely, at the moment of saying, and are offered as gracefully as one might offer a flower. Their proverb, " *una parola, un fiore* " exactly expresses the attitude. So why repel these happy little offers of friendship? A ready smile, and a word or two of Italian—so easy to say—and immediately an understanding is born, a friendly atmosphere is established.

But, as he travels through Italy, the student of Italian must be prepared for the fact that the people seem to speak quite differently in different districts. This is because each region has its different dialect, which is as strongly defined as a separate language, and which leaves its special mark on the pronunciation. But everyone has learned Italian at school, and knows how to speak it, and will do so readily with the stranger—who must not feel discouraged if he has sat in a tram for a quarter of an hour and has not been able to understand a word of the conversation going on around him—an Italian from another region of Italy would be in exactly the same predicament! Only in Tuscany do the ordinary people in the street talk pure Italian among themselves, and this is easily explained, for it was in the dialect of Tuscany that Dante wrote, and this dialect eventually came to be recognised as the official language of Italy.

Naturally the visitor will find customs and habits which are different from his own, but he must not put everything down to ignorance or bad manners. It is just different behaviour. While British people of every class are careful not to make a noise when they are eating, most Italians just could not care less! Yet they would be horrified to sit down to a table unprovided with napkins, which seem to them as much a necessity as plates or forks, but which are often absent from some of our own restaurants.

While on the subject of food, I might mention that travellers would be well advised to eat Italian food when in Italy. It is nearly always delicious, well and carefully prepared, and most tasty. Every town and region has its own special dish, which has been brought to perfection through centuries of experiment and practice. In Milan there is a special savoury rice, coloured golden yellow with saffron, in Naples a delicious dish called " *pizza* ", in Rome another called " *mozzarella* ", which must be tasted to be believed. One should ask in each new town what is that town's speciality—and then order it! A word of advice to the spaghetti-eater; just insert the fork in the middle of the mass and roll a prudent number of strands round the fork with a rapid movement, then thrust the little bundle quickly into the mouth, without caring if a few lengths hang out. These may be quietly sucked in—and in any case everyone else is doing the same. A little gay insouciance is all that is needed; concentration and anxiety are entirely out of place.

It is surely unnecessary to advise the traveller to try the wines of the country. Italians know how and when to drink, and when to stop.

Wines are generally drunk with the meal, and add a great deal to its enjoyment and value. Vermouth is drunk always before a meal, never after; marsala is something like our sherry, and can be drunk on similar occasions. Each region of Italy is famous for its own special wines. Those of the North, Barolo, Barbera, etc., are heavy, strong and full of body, and always a little on the rough side as compared with French wines. Most English people know the famous Asti spumante, which is a sparkling sweet white wine that comes from Piedmont. This should never be drunk during a meal, but only at the very end, when one sits round chatting and toasting one's friends. It may also be drunk in the middle of the afternoon, and then one eats a biscuit with it, and it rather takes the place of the British tea. It may interest the traveller to learn that Chianti, so well known in England, comes from a small, well-defined region of Tuscany, and is made in such tiny quantities that it would be clearly impossible for it to fill the many thousands of little flasks that adorn the tables of our restaurants ! But there are so many wines of the light claret type all over Italy that " *il vino del paese* " will generally be quite safe, and very cheap, to order at a meal. The wines of the district round Rome are especially fine, and rightly famous.

I cannot finish without mentioning six important little words which will help to carry the traveller safely and easily through almost every situation. He might as well learn them at once, and then he will have them at his finger-tips. The first of course is " *grazie* ", which, when said with a smile, says so much. The second is the answer to " *grazie* ", non-existent in English : " *prego* ". It should come automatically to the lips of the person to whom " *grazie* " has just been said, and should be accompanied by the suggestion of a bow. It is the acknowledgement, the acceptance, and yet the disclaimer to the gratitude of the thanker. The third word is " *scusi* ", which, of course, means " Excuse me " or " I am sorry ", and may be expanded on occasion into " *scusi tanto* ". The fourth is " *permesso* ", of which the literal meaning is " permission ". It is said when knocking on a door, instead of " May I come in ? " It is also said when one is in a crowded tram or bus and one wishes to get by. " *Permesso ?* ", " Will you let me get by ? " It is said when one has to stretch or reach in front of another person, or when one leaves a room to fetch anything, or even when one takes an empty chair in a café away from a table where someone is sitting. The fifth word is " *Pazienza* ", which when used alone, always with a little shrug of the shoulders, means, " Never mind, it cannot be helped, we must make the best of it ". The last word is " *così* ", almost impossible to translate. Literally it means " so " or " in this manner ", and is nearly always accompanied by a descriptive gesture. How do you spell your name? The answer is " *così* ", as one writes it. " How tall is your child? " Again " *così* ", holding the hand at the right height from the ground. " *Così così* " means so-so, and shows a certain lack of enthusiasm in the reply, which may be a polite veil for what is an active dislike. " *Così* " said with a blank look and a shrug of the shoulders means " I really cannot imagine why." " Why did you look the other way when you met her? "—" *Così* "—" I don't know. Because I felt like it, I suppose."

Now it is to be hoped that the reader of this preface will proceed into the book and learn enough to start him off on his journey. Once he steps out of the train into Italy, holding his book in his hand and his smile on his face, the rest will come easily, and he will be able to pack into his holiday a thousand incidents and contacts and amusing experiences that could never have been his if he had not taken the small amount of trouble necessary to master the rudiments of this very musical and expressive language.

PRONUNCIATION

THE pronunciation of Italian should not present any grave difficulties to the English student, once he has realised that the vowel sounds are pure; i.e., that each vowel represents one sound. The English vowels a, e, i, o, u sound like diphthongs to an Italian. In fact, if he were asked to write them, he would spell them ei, ii, ai, ou, iu.

An Italian speaks with the voice well forward in the mouth and with no nasal resonance whatsoever. He pronounces each syllable clearly, and gives it its full value, never slurring syllables, as in English, or producing neutral sounds such as we produce in the last syllable of " gentleman " or " Cambridgeshire ".

Usually the stress in an Italian word of more than one syllable falls on the penultimate syllable. When it occurs on the last syllable the accent, always a grave accent, is written over the accented syllable; *città, tribù*. The accent is not written over a monosyllable except to distinguish between words which have the same spelling, but different meanings, such as : *è*, is, *e*, and; *tè*, tea, *te*, thee; *dà*, he gives, *da*, from; *sì*, yes, *si*, himself.

When the stress occurs on the antepenultimate syllable, or third-from-the-last, this is not shown by any accent on the written word. In this phrase book, however, for the convenience of the English student, a short line is placed before the syllable stressed, when that syllable is not, as it normally is, the penultimate—e.g., *'stomaco, 'vendere, cit'ta*. A very small number of words have their stress on the fourth syllable before the last. This is shown the same way, e.g., *mol'tiplicano, 'fabbricano*.

The consonants are pronounced more or less as in English except that the " r " is trilled, like a Scottish r, and the consonants d, l, n and t are formed farther forward in the mouth, and the tongue, instead of touching the roof of the mouth, presses behind the top teeth.

THE PHONETIC ALPHABET

The phonetic system used in this phrase book is that of the International Phonetic Association, now recognised as the best, and universally accepted.

VOWELS

The five vowel signs represent seven different sounds, and are pronounced and represented as follows:

Phonetic Symbol.	Explanation of Sound.	Italian Spelling.
a	Like Northern English " a " in " cat ". Lips more open than in Southern English " cat " and drawn out at the corners.	*sala, mano, passare*
e	(Close.) Like Cockney " cat " or Scottish " cake " with a long " a ". Lips well together, and well spread, no trailing off.	*verde, mele, vedere*
ɛ	(Open.) Like English " red " or " let ".	*bello, vento*
	As " i " in " machine ", but lips closer together and drawn back. The sound is sustained, but does not trail on, as in the English " see ".	*vini, siti, finiti*
o	(Close.) Rather like a Lancashire " o " in the word " note ", i.e., a pure " o " and not an " o " which slides off into a " u ", as in the English " rope ".	*sole, forno, molto*
ɔ	(Open.) Like the " o " in " not ".	*donna, porta*
u	As " oo " in " moon ", but a very small round aperture, lips well pouted, no trailing off.	*luna, fumo, tutto*

" Close " and " open " vowels are not differentiated in Italian spelling. The English student can learn the correct pronunciation of each from the phonetic symbols. However, although it is praiseworthy always to strive after correctness, there is really no necessity for the traveller to become unduly worried or anxious over these close or open vowels. The Italians of North Italy, even the most educated, mispronounce them daily, as a matter of course. For example, in North Italy *bɛne* is invariably pronounced *bene*, and *re* is pronounced *rɛ*. So why should a poor English-speaking visitor hesitate, stumble and allow himself to be held up, before getting out a word containing an o or an e ? Let him speak up bravely, and reflect that he is talking to Italians in Italy, and not to English examiners in an English University.

CONSONANTAL SYMBOLS

Phonetic Symbol.	Explanation of Sound.	Italian Spelling.
p	Like English " p ", but no following short aspirate.	*pane, passo*
b	Like English, but more strongly vibrated.	*basso, battere*
t	Like English, but no following slight aspirate, and tongue well pressed just above upper teeth.	*tempo, tassa, teatro*
d	Like English, but well vibrated and tongue well pressed just above upper teeth.	*dente, dottore*
k	Like English, but no following slight aspirate, and the tongue contacting the palate nearer the front of the mouth than in English.	c before a, o, u : *cane, corno, culla* ch before e and i : *chi, che, chiesa*
g	Like English, but the tongue farther forward and the " g " well vibrated until next sound produced.	g before a, o, u : *ago, gusto, gazza* gh before e and i : *ghirlanda, laghetto*
m	Like English, but well vibrated.	*mio, mela, madre*
n	Like English, but well vibrated.	*nessuno, nostro*
l	Like English, but tongue well forward on the teeth ; never like the second " l " in " little " which is formed in the second part of the mouth.	*letto, lama, gentile, fallo*

Phonetic Symbol.	Explanation of sound.	Italian Spelling.
r	Trilled as in Scotland, by vibrating the tongue.	*riso, rosso, rana*
f	Like English " f ".	*ferro, fastidio, fare*
v	Like English " v ", but teeth not pressed as tightly against the lower lip.	*vittoria, vento, volta*
z	Like English, but vibration continued throughout the sound.	s between vowels (with some exceptions) *rosa, vaso, uso.* s followed by voiceless consonants b, d, g, l, m, n, z or v : *sbadato, slitta, snello*
h	Is always silent. It appears in a few short words but is not pronounced, and therefore does not figure in the phonetic transcription.	*ho, hai, ahi*
ʃ	Like English " sh " in " shame ".	sc before e or i : *scemo, scimmia* sci before a, o, u : *sciarpa, sciocco, asciutto*
ɲ	Like English " n " in " onions ".	*bagno, montagna*
ŋ	Like English " ng " in " bang ".	n before k or g : *ancora, unghia*
λ	Like English " ll " in " million ".	*aglio, meglio, famiglia*
j	Like English " y " in " yes ".	i before another vowel: *ieri, bianco, pianta*
w	Like English " w " in " wing ".	u followed by another vowel: *quanto, uomo, buono*
ds	(The unvoiced sound of z.)	*ragazzo, grazie*
tz	(The voiced sound of z.)	*zaino, zanzara, azzurro*

Phonetic Symbol.	Explanation of sound.	Italian Spelling.
dʒ	Like English " j " in " jam " or " g " in " gin ".	g followed by e or i : *gelo, giro, ginestra* gi followed by a, o or u : *giorno, giacca, giusto*
tʃ	Like English " ch " in " cheese ".	*cesta, cenere, cibo*

Note carefully that in Italian the double consonant is always more prolonged and emphatic than the single, except in the case of " zz ", which is pronounced almost like " z ". Remember, too, that every stressed vowel followed by a single consonant is long. Examples : *so:le, anda:vano, magni:fico.*

When practising the pronunciation it is advisable always to read the phonetic script aloud, pronouncing each word very clearly. Italians do not mumble, mutter or whisper when they speak, and they cannot understand when other people do any of these things. So speak up and let them hear what you want to say. Then they will understand, and reply.

One more thing to remember is that Italians never throw their sentences out of balance by emphasizing one special word in the sentence, as we do. We would say, " It is *most* kind of you to lend me your bicycle." An Italian would express his gratitude by the warmth in his voice, never by emphasising the word " *molto* ". " *È molto gentile da parte sua d'imprestarmi la bicicletta.*" " It is most kind of you to lend me the bicycle."

A SKELETON OUTLINE OF ITALIAN

NOUNS

Every noun in Italian is either masculine or feminine. Those ending in -*o* are masculine, those ending in -*a* are generally feminine, and, of those which end in -*e*, some are masculine and some are feminine. Two common exceptions are *la mano*, the hand, and *la radio*, the wireless.

Ex. : *il libro*, masc., the book   *la casa*, fem., the house
      il padre, masc., the father   *la madre*, fem., the mother

The plural of nouns is made by changing the final -*o* of the masculine nouns to -*i*, the final -*a* of the feminine nouns to -*e*, and the final -*e* of both masculine and feminine nouns to -*i*.

Ex.: *il soldato*, soldier, *i soldati*   *la piazza*, square, *le piazze*

    il cameriere, waiter, *i camerieri*   *la parete*, inside wall, *le pareti*

Nouns of one syllable, or those ending in an accented vowel, do not change in the plural : *il re*, king, *i re* ; *la città*, town, *le città*.

Nouns ending in a consonant, all of foreign origin, do not change in the plural ; *il tram, i tram*.

Nouns ending in -*io* form their plural by dropping the final -*o*, unless the preceding -*i* is stressed : *il viaggio*, journey, *i viaggi* ; but *il mormorio*, murmur, *i mormorii*.

Nouns ending in -*co* form their plural in -*chi*, if the stress of the word is on the penultimate syllable, otherwise in -*ci* ; *fuoco*, fire, *fuochi* ; *mònaco*, monk, *monaci*. Exceptions are : *amico*, friend, *amici* ; *nemico*, enemy, *nemici* ; *greco*, Greek, *greci* ; *porco*, pig, *porci*. *Carico*, load, has the plural *carichi*, and *stomaco, stomachi*.

Nouns ending in -*go* have their plural in -*ghi* : *lago*, lake, *laghi*.

Nouns ending in -*ca* or -*ga* insert an *h* before the final -*e* or -*i* of the plural : *la barca*, the boat, *le barche, il collega*, the colleague, *i colleghi*.

ARTICLES

The indefinite article is *un* before a masculine noun beginning with a vowel, or with a consonant (except *z* or *s* followed by a consonant) : *un amico, un soldato*. It is *uno* before a masculine noun beginning with *z* or *s* followed by a consonant : *uno zio*, uncle ; *uno studente*. It is *una* before a feminine noun beginning with a consonant : *una piazza*, and *un'* before a feminine noun beginning with a vowel : *un'ora* (hour).

The definite article " the " is translated by *il* before a masculine noun beginning with a consonant (except *z*, and *s* followed by a consonant) : *il soldato* ; by *lo* before a masculine noun beginning with *z*, or *s* followed by a consonant : *lo zio, lo studente* : by *l'* before a masculine noun beginning with a vowel : *l'amico* : by *la* before a feminine noun beginning with a consonant : *la signora*, lady or Mrs.; and by *l'* before a feminine noun beginning with a vowel : *l'ora*.

The plural of *il* is *i* : *il soldato, i soldati*. The plurals of *lo* and *l'* before a masculine noun are both *gli* : *gli studenti, gli amici*. The plurals of *la* and *l'* before a feminine noun are both *le* : *le piazze, le ore*.

The definite article when preceded by one of the prepositions : *a*, to, at; *di*, of; *da*, by, from; *in*, in; *su*, on; is joined to it and forms one word with it.

		a	*di*	*da*	*in*	*su*
Joined to	*il*	*al*	*del*	*dal*	*nel*	*sul*
,,	*i*	*ai*	*dei*	*dai*	*nei*	*sui*
,,	*lo*	*allo*	*dello*	*dallo*	*nello*	*sullo*
,,	*gli*	*agli*	*degli*	*dagli*	*negli*	*sugli*
,,	*l'*	*all'*	*dell'*	*dall'*	*nell'*	*sull'*
,,	*la*	*alla*	*della*	*dalla*	*nella*	*sulla*
,,	*le*	*alle*	*delle*	*dalle*	*nelle*	*sulle*

Di joined to the various forms of the article is used to express possession : *la madre dei bambini*, the children's mother; *l'amico del soldato*, the soldier's friend

Di + article, as given above, also translates the partitive case, " some " or " any " : *mi dia del pane*, give me some bread; *avete della birra ?* have you any beer ? *ho visto dei soldati*, I have seen some soldiers

ADJECTIVES

The adjective agrees in gender and number with its noun : *il piccolo libro, la piccola casa, i piccoli libri, le piccole case*.

The feminine is formed by changing the last *-o* of the masculine to *-a* : *bianco*, white, *bianca*; *nero*, black, *nera*.

If the masculine ends in *-e*, there is no change for the feminine : *un grande libro, una grande casa*.

The plurals of adjectives follow the rules for nouns : the masculine in *-o* changes the *-o* to *-i* : *piccolo, piccoli*. The feminine adjectives in *-a* change the *-a* to *-e* : *piccola, piccole*. The adjectives ending in *-e* all change to *-i* : *grande, grandi*.

The adjectives in *-co, -go, -cio* and *-gio* all follow the rules for the nouns : *largo*, wide, *larghi*; *bianco, bianchi*; *magnifico, magnifici*; *grigio*, grey, *grigi*.

The comparative is formed by *più* : *più piccolo di*, smaller than; *più intelligente di*, more intelligent than. " Than " after a comparison is generally translated by *di*. Equality is translated by *così—come* or *tanto—quanto*, but both the first expressions, i.e., *così* and *tanto*, are often left out in conversation : *È alto come suo fratello;* He is as tall as his brother.

The superlative is expressed by putting the correct form of the definite article (*il, la, i, le*) before the word " *più* " : *il più gran giardino*, the largest garden ; *la più bella casa*, the most beautiful house. If the adjective comes after the noun, the definite article before " *più* " is dropped. After a superlative the preposition " in " is translated " *di* " : *l'uomo più ricco della città*, the richest man in the town.

" Very " before an adjective is often translated by dropping the final vowel of the adjective and adding *-issimo* : *bello, bellissimo*, beautiful, very beautiful.

Irregular comparatives and superlatives are :

> *buono, migliore, il migliore, ottimo,* good, better, best, excellent
>
> *cattivo, peggiore, il peggiore, pessimo,* bad, worse, worst, very bad
>
> *grande, maggiore, il maggiore, massimo,* great, greater, greatest, very great
>
> *piccolo, minore, il minore, minimo,* little, less, least, the least

(*Piccolo* and *grande* have a regular comparative and superlative as well ; *maggiore* and *minore* are generally used to denote younger and elder.)

The adjective generally follows the noun it qualifies, but a number of very common short adjectives precede it : *un buon libro, una grande casa, un cattivo bambino,* a naughty child. Rhetorical adjectives also precede the noun ; *glorioso passato*, glorious past ; *magnifico successo*, magnificent success.

THE DEMONSTRATIVE ADJECTIVES

" This " is expressed by *questo*, which changes for the feminine and plural like adjectives in *-o*; *questo bambino, questa bambina, questi bambini, queste bambine.*

" That " is translated by *quello*, which has forms similar to those of the definite article (*il, lo, la, i, gli, le*) sing. : *quel soldato, quello studente, quell' amico, quella piazza, quei soldati, quegli studenti, quegli amici, quelle piazze.*

THE DEMONSTRATIVE PRONOUNS

Corresponding to the adjectives we have the pronouns : masc. sing., *questo* and *quello*, pl. *questi* and *quelli*, fem. sing., *questa* and *quella*, pl. *queste* and *quelle*. They are used as follows

> *Ecco due libri, questo è aperto, quello è chiuso ;* Here are two books, this one is open, that one is closed.
> *Ecco delle cartoline, queste sono mie, quelle sono sue ;* Here are some postcards, these are mine, those are yours.
> *Guardi quegli uomini, quello che scrive è americano, quello che legge è tedesco ;* Look at those men, the one who is writing is American, the one who is reading is German.
> *Guardi quelle signore, quella che scrive è una mia amica, quella che legge è una dottoressa ;* Look at those ladies, the one who is writing is a friend of mine, the one who is reading is a doctor.
> *Ho il mio libro e quello di mia sorella ;* I have my book and my sister's (that of my sister). *Ho i miei libri e quelli di mio fratello ;* I have my books and my brother's (those of my brother).
> *Ho la mia penna e quella di Mario.* I have my pen and Mario's (that of Mario). *Ho le mie penne e quelle di Mario ;* I have my pens and Mario's (those of Mario).

Questo and *quello* can be used for something indefinite. *Mi dia questo, non quello*, give me this, not that.

POSSESSIVE ADJECTIVES

" My " is : masc. sing., *il mio*; masc. pl., *i miei*; fem. sing., *la mia*; fem. pl., *le mie* : *il mio cappello*, hat, *i miei cappelli*, *la mia sedia*, chair, *le mie sedie*.

" Thy ", used in Italian for close intimates, children and animals : masc. sing., *il tuo*; masc. pl., *i tuoi*; fem. sing., *la tua*; fem. pl. *le tue*.

" His " and " her "—no distinction is made in Italian— are : masc. sing., *il suo*; masc. pl., *i suoi*; fem. sing., *la sua*; fem. pl., *le sue*. " Its " is, of course, *il suo, la sua, i suoi, le sue*. These forms are also used to translate " your " in the polite form.

" Our " is *il nostro, i nostri, la nostra, le nostre*.

" Your ", generally used nowadays as the plural of " thy ", is *il vostro, i vostri, la vostra, le vostre.*

" Their " is always *loro*. Only the article in front of it changes, *il loro, i loro, la loro, le loro. Loro* is also used as the plural of the polite form. When speaking to two or more acquaintances, *i loro bambini*, your children.

In front of nouns indicating relations in the singular number the article is dropped, *mia sorella,* but *le mie sorelle, mio padre* but *i miei fratelli.*

POSSESSIVE PRONOUNS

These are the same as the possessive adjectives.

> *Le piace il nostro giardino ?* Do you like our garden ? *Preferisco il mio ;* I prefer mine.
> *Le piace la nostra casa ?* Do you like our house ? *Preferisco la mia ;* I prefer mine.

The preceding article is omitted when the possessive stands alone in the predicate, with the force of an adjective. *Questo libro è mio.* This book is mine. *Questa giacca è mia.* This coat is mine. One sometimes hears : *questo libro è il mio, questa giacca è la mia,* but in these cases something different from mere possession is indicated. The translation might be : this book is the one that belongs to me, this coat is the one that belongs to me.

PERSONAL PRONOUNS

The following table sets out the personal pronouns. Col. 1 gives the Disjunctive form, i.e., the form which is used apart from the verb, emphatically (in the 3rd person singular), or after a preposition : *è per me,* it is for me; *lui è uscito, lei è a casa,* he has gone out, she is at home; *sai fare da te ?* Can you do it alone ? Col. 2 is the Nominative form, or the subject of the verb. Col. 3 is the Reflexive form : *mi lavo,* I wash myself. Col. 4 is the Accusative or the direct object of the verb : *li vediamo,* we see them. Col. 5 is the Dative, or the indirect object of the verb : *mi fa un regalo,* he gives me a present.

Col. 1.	Col. 2.	Col. 3.	Col. 4.	Col. 5.
me	io	mi	mi	mi
te	tu	ti	ti	ti

Col. 1.	Col. 2.	Col. 3.	Col. 4.	Col. 5.
lui	egli	si	lo	gli
lei	essa	si	la	le
Lei	Lei, Ella	si	La	Le
sè				
noi	noi	ci	ci	ci
voi	voi	vi	vi	vi
loro	essi	si	li, le	loro
Loro	Loro	si	Li, Le	Loro
sè				

There are four ways of expressing " you " in Italian, according to the number, singular or plural, of the person or persons addressed and according to the degree of friendship existing between the person speaking and the person addressed. *Tu*, 2nd person singular, " thou ", is used to relations, intimate friends, children and animals, when only one is addressed; *voi*, 2nd person plural, "you" when two or more of the above-mentioned friends, etc., are addressed. When speaking to any person not included in the four previous categories *Lei* is used in the singular and *Loro* in the plural. *Lei* stands for *Sua Eccellenza*, Your Excellency, and is therefore 3rd person singular feminine. When addressing several people whom one knows fairly well, it is permissible to address them collectively as *voi*, even though one does not address each one singly as *tu*. Similarly in a shop : *avete delle biciclette a nolo ?* have you any bicycles for hire ?

It will be helpful to give some examples of the use of the above, arranged under their columns.

Col. 1. *Venga con me ;* Come with me.
   Questa lettera è per Lei ; This letter is for you.
   Abita vicino a noi ; He lives near to us.
   Lui è francese, lei è tedesca ; He is French, she is German.
   Fa tutto da sè ; He does everything by himself.

Col. 2. The use of the Nominative to express the subject of a verb needs no explanation. However, it is important to note that normally in Italian one dispenses with the Nominative personal pronoun, because the termination of the verb is sufficient in itself to indicate the subject. *Vengo* means I am coming, *Veniamo*, we are coming. Only in the case of a contrast or when

modified by an adverb is the Nominative pronoun used :
io compro, tu vendi, I am buying, you are selling ; *vengo
anch'io,* I am coming too.

Col. 3.   The Reflexives, *mi, ti, si, ci, vi, si* are simple.
Mi vesto, I dress myself.   *Si veste,* he (or she) dresses
himself (herself).   *Si vestono,* they dress themselves.

Cols. 4 and 5.   It will make things clearer if we take these
columns together, as the Dative differs from the
Accusative only in the third persons.   It is advisable
to learn the following by heart.

Mario mi vede	Mario sees me		*e mi dà questo*	and gives me	this
Mario ti vede	,,	you	*e ti dà questo*	,,	you ,,
Mario lo vede	,,	him	*e gli dà questo*	,,	him ,,
Mario la vede	,,	her	*e le dà questo*	,,	her ,,
Mario La vede	,,	you	*e Le dà questo*	,,	you ,,
Mario ci vede	,,	us	*e ci dà questo*	,,	us ,,
Mario vi vede	,,	you	*e vi dà questo*	,,	you ,,
Mario li vede	,,	them (masc.)	*e dà loro questo*	,,	them ,,
Mario le vede	,,	them (fem.)	*e dà loro questo*	,,	,, ,,
Mario Li vede	,,	you (masc. pl.)	*e dà Loro questo*	,,	you ,,
Mario Le vede	,,	you (fem. pl.)	*e dà Loro questo*	,,	,, ,,

To sum up, the Conjunctive personal pronouns (Cols. 3, 4
and 5), except *loro,* immediately precede the verb.   If the verb
is in a compound tense the pronoun precedes the auxiliary :
gli ho parlato, I have spoken to him ; *ho parlato loro,* I have
spoken to them.   When the verb is an infinitive, a gerund, a
past participle without auxiliary or an affirmative imperative,
the pronoun follows the verb, and is written as one word with
it.   In combining with a pronoun the infinitive loses its final
-e : *desideravo di vederlo,* I wished to see him ; *imparandolo,*
learning it ; *parlagli,* speak to him.   The interjection, *ecco,*
takes the pronouns appended to it, as if it were an imperative :
eccola ! here she is !   The stress on the verb remains where it
was before the pronoun was added : *imparándo, imparándolo,
párla, párlagli.*

The reflexive pronoun *si* is used in the 3rd person singular
to render the impersonal " one ", " we ", " they " : *si fa così,*

one does so; *dove si può comprare della carta da lettera ?* where can one buy writing-paper ? If the object in the English sentence is plural, the verb is plural in the Italian sentence : *qui si rilegano libri*, we bind books here.

THE PRONOMINAL ADVERBS

These are *ci* (or *vi*) and *ne*. *Ci* is used with the meaning of " there " or " thither " :

> *Va a teatro ? Sì, ci vado spesso.* Do you go to the theatre ? Yes, I often go (there).
>
> *Quanto tempo rimane a Torino ? Ci resterò quattro giorni.* How long are you staying in Turin ? I shall stay there four days.
>
> *Ci sono molti ragazzi nella strada ;* There are a great many boys in the road.

Ne, when used of place, translates " thence ". *È stato in città ?*

> *Sì, ne ritorno adesso.* Have you been to the town ? Yes, I am coming back (from it) now.

Ne is often associated with *di*, and is especially used to indicate a quantity, a certain number, like the partitive article :

> *Avete dello zucchero ? Sì, ne abbiamo.* Have you any sugar ? Yes, we have some.
>
> *Quanti fratelli ha ? Ne ho tre.* How many brothers have you ? I have three.
>
> *Ne parla sempre ;* He is always talking about it.
>
> *Non ne capisco niente ;* I don't understand any of it.

RELATIVE ORDER OF THE PERSONAL PRONOUNS

When two conjunctive personal pronouns are used with the same verb, the indirect object precedes the direct object (contrary to English usage) and both precede—or, in the special cases already mentioned, follow—the verb. The pronoun *loro* always follows the verb. Before *lo, la, li, le* and *ne*, the datives *mi, ti, si, ci* and *vi* change -*i* into -*e*, and become respectively *me, te, se, ce* and *ve* : *me lo darai ?* will you give it to me ? *parlatecene*, speak to us about it. But *gli* and *le* both become *glie*, which is written as one word with the following pronoun, giving these forms :

glielo, *gliela*, it to him, it to her or it to you
glieli and *gliele*, them to him, them to her or them to you
gliene, some to him, some to her or some to you
gliene dia, give him some, or give her some

RELATIVE PRONOUNS

The relative pronouns are : (1) *che*, which is invariable and used only as a subject or direct object, *la signora che abita qui*, the lady who lives here; *il libro che usiamo*, the book that we are using; (2) *cui*, also invariable, and used either as an indirect object or after a preposition : *la penna con cui scrivo*, the pen with which I am writing; (3) *il quale*, which is inflected (*la quale*, *i quali*, *le quali*) and agrees in gender and number with its antecedent : *la persona della quale mi hai parlato*, the person of whom you have spoken to me. This last pronoun is generally used in cases which might otherwise be ambiguous. Each of these relative pronouns, since it may refer to either persons or things, may stand for the English " who ", " whom ", " that " or " which ". The direct object, which is often omitted in English, can never be omitted in Italian : *la lettera che scrivo*, the letter I am writing.

The English " whose " is generally rendered by *il cui*, *la cui*, *i cui*, *le cui*, according to the number and gender of the word which follows : *l'uomo il cui figlio è venuto ieri*, the man whose son came yesterday; *l'autore i cui romanzi sono conosciutissimi*, the author whose novels are very well known.

" He who " is translated by *chi*. Many proverbs begin with *chi*. *Chi tardi arriva, male alloggia*, he who arrives late, gets the worst lodging; *chi dorme non piglia pesci*, he who sleeps, catches no fish.

The condensed relative " what ", as in " I cannot pay what he is asking ", is expanded into its component parts in Italian : *quello che*, or *ciò che* : *non posso pagare quello che* (or *ciò che*) *domanda*.

INTERROGATIVE ADJECTIVES AND PRONOUNS

The adjective " what ? " is translated *che*, and is invariable : *che giornale legge ?* what paper do you read ? " Which " is *quale* (masc. and fem. sing.), *quali* (masc. and fem. plural):

Quale vestito si mette stasera ? which dress will you wear this evening ? *quali fiori preferisce ?* which flowers do you prefer ?

" How much " is *quanto* (fem. *quanta*) :

> *Quanto costa ?* How much does it cost ?
> *Quanto burro ha comprato ?* How much butter did you buy ?
> *Quanta carta ha usato ?* How much paper did you use ?

" How many " is *quanti* or *quante* : *quanti ragazzi sono arrivati ?* how many boys have arrived ?

" Who " and " what " are translated as follows :

Persons

" Who " and " whom " are translated *chi* and are invariable :

> *Chi parla ?* Who is speaking ?
> *Chi conosce Lei ?* Whom do you know ?
> *A chi ha scritto stamattina ?* To whom did you write this morning ?
> *Per chi è questo telegramma ?* For whom is this telegram ?

" Whose " is rendered as follows : *Di chi è questo cappello ?* Whose hat is this ? *Di chi è figlio ?* Whose son is he ?

Things

The pronoun " what " is translated *che* and frequently *che cosa* : *Che cosa è successo ?* What has happened ? *Che cosa scrive ?* What is he writing ?

ADVERBS

A large number of adverbs are formed from the feminine of the adjective, by adding *-mente*, (mind) : *allegro, allegra, allegramente,* merrily (lit. with a merry mind), *triste, tristemente.* Adjectives ending in *-le* or *-re* drop the final vowel in adding *-mente*, provided that no consonant precedes those endings : *generale, generalmente,* generally, *regolare, regolarmente,* regularly, but *folle, follemente,* madly.

Irregular forms are : *buono,* good, *bene,* well ; *cattivo,* bad, *male,* badly.

Adverbs of quantity are : *quanto, tanto, molto, abbastanza, poco, troppo* :

> *mi piace molto*, I like it very much
> *corre troppo*, he runs too much, or he drives too fast
> *ho mangiato abbastanza*, I have eaten enough

All these adverbs may be used as adjectives, and they then agree in number and gender with the following noun, except *abbastanza*, which is invariable :

> *troppa fantasia*, too much imagination
> *molto coraggio*, much courage
> *quanti biglietti*, how many tickets
> *tanto pane*, so much bread
> *abbastanza denaro*, enough money

Adverbs are compared like adjectives : *scioccamente, più scioccamente, il più scioccamente* (or *più scioccamente di tutti*), stupidly, more stupidly, most stupidly.   Irregular comparisons are :

> *bene, meglio, il meglio*, well, better, best
> *male, peggio, il peggio*, bad, worse, worst
> *molto, più, il più*, much, more, most
> *poco, meno, il meno*, little, less, least

Affirmation and negation involve the use of adverbs.   *No* is the negative adverb : *è in casa la signora ? No, è fuori.*   Is the lady in ? No, she is out.   The emphatic negative is *ma no* : *è di malumore ? Ma no !* Are you in a bad temper ? Certainly not !

When used with the verb, the negative *non* is used, placed before the verb : *non vengo*, I am not coming ; *non ha tempo*, he has not time.

The English " any ", when followed by a plural word in a negative sentence, is not translated : *essa non ha figli*, she has not any children (or she has no children) ; when followed by a singular word which may take a numerical modifier it is usually rendered by *nessuno. Nessuno* in front of the noun takes the same endings as the indefinite article : *nessun, nessuno, nessuna, nessun' : nella camera non c'è nessun divano*, in the room there is no sofa.   As *nessuno* really means " not one ", or " not any " or " nobody ", it is easy to see from the last example that a double negative sometimes occurs in Italian, conveying the sense of a single negative. Other negative expressions used in connection with negative verbs are :

mai, never
niente, nulla, nothing
nè . . . nè, neither . . . nor
Non parla mai ; He never speaks.
Non capisce niente ; He does not understand anything.
Non ha mangiato nè la carne, nè la verdura ; He has not eaten either the meat or the vegetables.

When *nessuno,* or any of the other negative expressions just mentioned, precedes the verb, *non* is omitted : *Nessuno ha telefonato ;* Nobody has telephoned. *Niente è impossibile ;* Nothing is impossible. " Only one " may be translated *non . . . che ; non ha che un braccio,* he has only one arm. " No more ", " no longer " is translated *non . . . più : Non lo vedo più ;* I do not see him any more. *Non mi piace più ;* I do not like him any more.

The affirmative adverb is *sì.* It is used in special expressions :

un giorno sì, un giorno no, every alternate day
Non Le piace ? Sì che mi piace ! Don't you like it ? But of course I like it !
Io non approvo. Io sì ! I do not approve. Well, I do !

THE VERB

The infinitive of the verb may be regarded as a noun, and is still in some cases used as a pure noun with the article : *il potere,* power; *il dovere,* duty; *il sapere,* knowledge. It can be used exclamatorily : *Io alzarmi alle cinque !* I get up at five ! and in orders : *rallentare,* slow down.

The infinitive ends in *-are, -ere* or *-ire,* and is used after prepositions:

per pagare, in order to pay
prima di partire, before leaving
Sono costretto a parlare così ; I am obliged to speak in this way

The present participle ends in *-ante* in the first conjugation and in *-ente* in the other two. It is not often used, Italians preferring a relative phrase to the English adjectival clause. Thus *l'uomo che passeggia in giardino* translates " the man walking in the garden ". Many present participles have become nouns : *l'amante*, the lover; *il tenente*, the lieutenant; *l'insegnante*, the teacher.

The past participle is used adjectivally as in *una porta chiusa*, a closed door; *la porta è chiusa*, the door is closed. It agrees with the subject when the auxiliary verb is *essere*, and with the preceding object when this is a pronoun and the auxiliary verb is *avere*. In *ho scritto le lettere* the past participle does not agree with the object, because this follows the verb, in *chi ha scritto le lettere ? io le ho scritte*, it agrees, because the object *le* precedes the verb.

The gerund ends in *-ando* in the first conjugation and in *-endo* in the other two conjugations. It is invariable and can never take a preposition before it as in English :

> *Copiando, feci uno sbaglio ;* In copying I made a mistake.
> *Sbagliando s'impara ;* By making mistakes one learns.
> *Arrivando, ci salutò ;* On arriving, he greeted us.

The gerund may also replace a clause of time, cause or condition :

> *Giocando in giardino, cadde e si fece male ;* While playing in the garden, he fell and hurt himself.
> *Essendo ricco, può viaggiare ;* As he is rich, he can travel.

The gerund is also used in the progressive construction after *stare*, and may translate the English progressive construction. *Sto leggendo*, I am (in the act of) reading; *stiamo mangiando*, we are eating.

The verb has four Moods : the Indicative, which reports facts, the Conditional, which expresses uncertainty in the principal clause, the Subjunctive, which reports non-facts, imagination, possibilities, contingencies, concessions, and the Imperative, which states commands.

The verb has two Voices : the Active, which reports the doer of the action as performing it, and the Passive, which reports the object of the action, as suffering the action by the doer—e.g., *egli batte il ferro*, he strikes the iron (active); *il ferro è battuto da lui*, the iron is struck by him (passive).

The verb has Tenses, which show the time of the action, its relationship to another action or the quality of the action, e.g., continuous, incipient, etc.

The Present Tense, as in *essa canta*, refers to an action now going on, she is singing, or repeated, she often sings, or stated emphatically, she does sing—Italians having only one form for all of these. (She is actually singing at this moment may be paraphrased as *essa sta cantando*.)

The Perfect (*Passato Prossimo*) refers to an action that is completed now, and is no longer going on : *ho scritto una pagina*. It also reports an action which took place in a period of time not yet completed : *quest'anno sono stato tre volte a Londra ; oggi ho ricevuto tre lettere*. Finally, it is used in the spoken language all over Northern Italy in place of the Historic Past (*Passato Remoto*) : *mio zio è morto a Parigi*, instead of *mio zio morì a Parigi*.

The Future is formed from the Infinitive after removing the final *-e*. A peculiarity of the first conjugation is that the *a* of the infinitive ending *-are* is changed to *-e*. The endings of the Future are the same for all Italian verbs : *ò, ai, à, emo, ete, anno* : *canterò* from *cantare*, *riceverò* from *ricevere*, *finirò* from *finire*. Besides being used as it is in English, the Future is also employed in Italian in the following cases : (1) in subordinate clauses referring to the future, which are introduced either by a conjunction of time, or by *se*, if : *se telefonerò, sarai a casa ?* will you be at home if I telephone ? *quando arriverà, te lo farò sapere*, when he arrives I will let you know; (2) to express what is probable, even when no idea of future is implied : *dov'è Sua sorella ? sarà di sopra ;* where is your sister ? she is probably upstairs. The present is often used with a future meaning : *così ci vediamo lunedì venturo ?* so we shall see each other next Monday ?

The Imperfect is formed from the stem of the infinitive (i.e., the infinitive deprived of its final *-are*, *-ere* or *-ire*) and the following endings which are the same for all Italian verbs except *essere* : *-avo, -avi, -ava, -avamo, -avate, -avano* for the first conjugation—*cantavo*, I was singing or I used to sing; *-evo, -evi, -eva, -evamo, -evate, -evano* for the second conjugation —*sedevo*, I was sitting or I used to sit; and *-ivo, -ivi, -iva, -ivamo, -ivate, -ivano* for the third conjugation—*finivo*, I was finishing or I used to finish. The Imperfect is used to denote an action which was already going on, when another action started : *Eravamo a tavola, quando arrivò il telegramma ;* We were at table, when the telegram arrived. It is also used for a repeated, habitual action : *Durante le vacanze, facevamo lunghissime passeggiate ;* During the holidays we used to go for very long walks.

The Past Historic (*Passato Remoto*) is used in familiar conversation only in Tuscany and South Italy. It is always used in written Italian or in formal speech to report an action which happened during a period of time that is now finished : *Dante nacque nel* 1265 *e morì nel* 1321 ; Dante was born in 1265 and died in 1321. It is the tense of narration by which the action is carried on, step by step, the Imperfect halting the narrative in order to describe the circumstances :

> *Don Camillo e Peppone inchiodarono gli occhi sul canneto che era controluce, perchè la luna batteva sull'acqua, e a un tratto videro distintamente un'ombra nera che si muoveva e presero la mira ;* Don Camillo and Peppone stared fixedly at the clump of canes which lay in the shadow, for the moon was shining down on the water, when all of a sudden they distinctly saw a black shadow moving, and then they took aim.

The tale moves on with *inchiodarono, videro* and *presero la mira,* and is held up at intervals by the description of the moonlight on the water.

The other compound tenses beside the Perfect are the Pluperfect (*Trapassato Prossimo*), *avevo cantato,* I had sung, and the Future Perfect (*Futuro Anteriore*), *avrò cantato,* I shall have sung. The *Trapassato remoto* : *ebbi cantato,* is only rarely used, in very special cases.

The present tense of the Conditional Mood uses the same stem as the future, and the endings are *-rei, -resti, -rebbe, -remmo, -reste, -rebbero* : *canterei,* I should sing. The perfect is *avrei cantato,* I should have sung.

The present of the Subjunctive Mood is formed from the stem of the Present Indicative with the endings *-i, -i, -i, -iamo, -iate, -ino* for the verbs in *-are,* and the endings *-a, -a, -a, -iamo, -iate, -ano* for the verbs in *-ere* and *-ire* : *che io canti, che io riceva, che io finisca.* The imperfect of the Subjunctive is formed from the infinitive, deprived of its final *-re* with the addition of *-ssi, -ssi, -sse, -ssimo, -ste, -ssero* : *che io comprassi,* *che tu comprassi, che egli comprasse, che noi comprassimo, che voi compraste, che essi comprassero.*

The Subjunctive is used in the principal clauses to express a wish : *Viva il Re !* Long live the King ! *Dio sia lodato !* God be praised ! It also expresses a command in the third person and takes the place of the Imperative in the polite form with *Lei : venga qui,* come here.

In a subordinate clause it is used when the principal clause expresses an emotion, a movement of the mind, e.g., fear, anger, surprise, regret, satisfaction, dissatisfaction, etc. To put it another way, the Subjunctive is used in a subordinate clause when that clause deals with what is not a fact but only a conception of the mind, or with a fact which is viewed as being merely the cause of a state of mind. The following examples will make this clearer :

> *Desidero che venga ;* I wish him to come. " His coming " is not a fact.
>
> *È meglio che essa resti ;* It is better that she should remain. " Her remaining " is not a fact.
>
> *Sono contento che essa sia qui ;* I am glad she is here. " Her being here " is a fact, but it is considered merely as a cause for my gladness.
>
> *Non so se questo sia vero ;* I do not know whether this is true. " The truth " is not a fact.
>
> *Egli teme che io perda la sua bicicletta ;* He is afraid that I may lose his bicycle.
>
> *Mi dispiace che tu impari queste cose ;* I am sorry that you should learn such things.
>
> *Sono sorpreso che essa non risponda ;* I am surprised that she does not answer.
>
> *Io temo che egli non paghi ;* I fear that he may not pay.

The two following examples of relative clauses show clearly the contrast between fact (Indicative) and non-fact (Subjunctive) :

> *Cerco il ragazzo che suona il violino ;* I am looking for the boy who plays the violin.
>
> *Cerco un ragazzo che suoni il violino ;* I am looking for a boy who may play the violin.

After a superlative the Subjunctive is used to soften the

affirmation : *È la più bella donna che io abbia mai veduto ;* She is the most beautiful woman I have ever seen.

The following conjunctions, amongst others, require the Subjunctive :

prima che, before   *benchè, sebbene*, although
perchè, when it means " so that "   *affinchè*, so that
per paura che, for fear that

The Indicative Past of the Subjunctive is used in a subordinate clause when the verb in the principal clause is in a past tense or in the conditional :

Mi diede il denaro, perchè pagassi il conto ; He gave me the money so that I should pay the bill.

Vorrebbe che tu venissi ; He would like you to come.

Non era vero che io fossi stanco ; It was not true that I was tired.

The Imperative Mood has only three forms, the 2nd person singular, the 1st person plural, and the 2nd person plural. In all three conjugations these forms are similar to those of the Present Indicative, except for the 2nd person singular of the first conjugation, which takes an *a* for its ending, instead of an *i* : *canta, cantiamo, cantate*, sing (thou), let us sing, sing (you) ; *vendi, vendiamo, vendete ; finisci, finiamo, finite ; parti, partiamo, partite.* One peculiarity is that in the negative form the 2nd person singular becomes similar to the infinitive : *non andare*, do not go ; *non spingere*, do not push.

The Compound Tenses of the verb are formed with the auxiliary verbs, *essere* and *avere*. All transitive verbs are conjugated with *avere*, and also most intransitive.

All reflexive verbs and a number indicating change of state or motion are conjugated with *essere*. Those always taking *essere* are :

andare, to go   *arrivare*, to arrive
entrare, to enter   *nascere*, to be born
morire, to die   *divenire* and *diventare*, to be-
partire, to start   come
uscire, to go out   *venire*, to come
apparire, to appear   *cadere*, to fall
scendere and *discendere*, to   *salire*, to mount
    descend   *parere*, to seem
rimanere, restare, to remain   *stare*, to stay

A few like *correre*, to run, are sometimes conjugated with *essere*, sometimes with *avere*. Examples:

> *Mi sono lavato ;* I have washed myself.
> *Essa è andata in città ;* She has gone into the town.
> *È entrato in casa ;* He has gone into the house.

Verbs which indicate merely a bodily activity are conjugated with *avere* : *camminare*, to walk; *marciare*, to march; *saltare*, to jump.

Impersonal verbs are used only in the 3rd person singular : *piove*, it is raining; *bisogna*, it is necessary; *nevica*, it is snowing.

Italian uses reflexive verbs more readily than English, and especially in cases of true reflexives : *mi alzo alle sette*, I get up at seven o'clock; *essa si prepara*, she is getting ready. There are a certain number of other verbs which are reflexive in Italian, and which have no reflexive sense in English : *accorgersi*, to notice; *astenersi*, to abstain; *pentirsi*, to repent; *vergognarsi*, to feel ashamed. The reflexive is often used in Italian, when we use a Passive. *Questo nome non si scrive così ;* This name is not written like that.

CONJUGATION OF THE VERBS

Essere and *Avere*

Inf. *essere*, past part. *stato*, gerund *essendo*.
Inf. *avere*, past part. *avuto*, gerund *avendo*.

Indicative Mood

Present.		Imperfect.		Past Historic.	
sono	ho	ero	avevo	fui	ebbi
sei	hai	eri	avevi	fosti	avesti
è	ha	era	aveva	fu	ebbe
siamo	abbiamo	eravamo	avevamo	fummo	avemmo
siete	avete	eravate	avevate	foste	aveste
sono	hanno	erano	avevano	furono	ebbero

B

Future.		*Perfect.*	
sarò	avrò	sono stato	ho avuto
sarai	avrai	sei stato	hai avuto
sarà	avrà	è stato	ha avuto
saremo	avremo	siamo stati	abbiamo avuto
sarete	avrete	siete stati	avete avuto
saranno	avranno	sono stati	hanno avuto

Pluperfect.

ero stato	avevo avuto
eri stato	avevi avuto
era stato	aveva avuto
eravamo stati	avevamo avuto
eravate stati	avevate avuto
erano stati	avevano avuto

Conditional Mood

Present.		*Past.*	
sarei	avrei	sarei stato	avrei avuto
saresti	avresti	saresti stato	avresti avuto
sarebbe	avrebbe	sarebbe stato	avrebbe avuto
saremmo	avremmo	saremmo stati	avremmo avuto
sareste	avreste	sareste stati	avreste avuto
sarebbero	avrebbero	sarebbero stati	avebbero avuto

Subjunctive Mood

Present.		*Imperfect.*		*Perfect.*	
sia	abbia	fossi	avessi	sia stato	abbia avuto
sia	abbia	fossi	avessi	sia stato	abbia avuto
sia	abbia	fosse	avesse	sia stato	abbia avuto
siamo	abbiamo	fossimo	avessimo	siamo stati	abbiamo avuto
siate	abbiate	foste	aveste	siete stati	abbiate avuto
siano	abbiano	fossero	avessero	siano stati	abbiano avuto

Pluperfect.		*Imperative.*	
fossi stato	avessi avuto	sii	abbi
fossi stato	avessi avuto	siamo	abbiamo
fosse stato	avesse avuto	siate	abbiate
fossimo stati	avessimo avuto		
foste stati	aveste avuto		
fossero stati	avessero avuto		

Endings of the three Regular Conjugations in

(1) -are, (2) -ere, (3) -ire.

In the following table the hyphen represents the stem of
the verb—e.g., (cant)are, (vend)ere, (part)ire. No compound
tenses are given, as they can be made up with the Past Participle
plus the appropriate tense of avere or essere.

Infinitive :	(1) -are ;	(2) -ere ;	(3) -ire
Gerund :	-ando ;	-endo ;	-endo
Past Part. :	-ato ;	-uto ;	-ito

Indicative Mood

Present.				Imperfect.	Past Historic.		
-o	-o	-o		-vo	-ai	-ei	-ii
-i	-i	-i	canta	-vi	-asti	-esti	-isti
-a	-e	-e	vende	-va	-ò	-è	-ì
-iamo	-iamo	-iamo	parti	-vamo	-ammo	-emmo	-immo
-ate	-ete	-ite		-vate	-aste	-este	-iste
-ano	-ono	-ono		-vano	-arono	-erono	-irono

Future.		Conditional Present.		Imperative.		
cante vende parti	rò rai rà remo rete ranno	cante vende parti	rei resti rebbe remmo reste rebbero	-a -iamo -ate	-i -iamo -ete	-i -iamo -ite

Subjunctive Present.			Imperfect.		
-i	-a	-a	-assi	-essi	-issi
-i	-a	-a	-assi	-essi	-issi
-i	-a	-a	-asse	-esse	-isse
-iamo	-iamo	-iamo	-assimo	-essimo	-issimo
-iate	-iate	-iate	-aste	-este	-iste
-ino	-ano	-ano	-assero	-essero	-issero

A number of the verbs of the third conjugation, like finire,
capire, pulire, add -isc- to their stem in all the persons of the

singular and in the 3rd person plural of the Present Indicative, Present Subjunctive and Imperative. Example :

Present Indicative.	*Present Subjunctive.*	*Imperative.*
fin-isc-o	fin-isc-a	fin-isc-i
fin-isc-i	fin-isc-a	fin-iamo
fin-isc-e	fin-isc-a	fin-ite
fin-iamo	fin-iamo	
fin-ite	fin-iate	
fin-isc-ono	fin-isc-ano	

It is impossible to tell by looking at the infinitive whether the verb takes the *-isc-* syllable or not. The only way to find out is to ask someone or to look it up in a dictionary.

THE REFLEXIVE VERB

To show the position of the reflexive pronouns we give below the conjugation of the Present Tense of *lavarsi*, to wash oneself, in the affirmative, negative and interrogative, followed by the Imperative in the affirmative and negative. It is not generally necessary to use the nominative pronouns. The question is made merely by raising the voice at the end of the sentence.

Present Tense

Affirmative.	*Negative.*	*Interrogative.*
(io) mi lavo	(io) non mi lavo	non mi lavo (io) ?
(tu) ti lavi	(tu) non ti lavi	non ti lavi (tu) ?
(egli) si lava	(egli) non si lava	non si lava (egli) ?
(noi) ci laviamo	(noi) non ci laviamo	non ci laviamo (noi) ?
(voi) vi lavate	(voi) non vi lavate	non vi lavate (voi) ?
(essi) si lavano	(essi) non si lavano	non si lavano (essi) ?

Imperative

Affirmative.	*Negative.*
lavati	non ti lavare
laviamoci	non ci laviamo
lavatevi	non vi lavate

NOTES ON ORTHOGRAPHICAL CHANGES IN THE REGULAR VERBS

Since *c* and *g* are pronounced hard (as in English " came " and " game ") in front of *a*, *o* and *u*, and soft (as in English " cheese " and " jam ") when followed by *e* or *i*, it follows that certain changes are necessary in the spelling of the verbs to preserve their hard or soft consonants throughout the whole verb, when the endings alter.   Thus :

In order to keep the *c* and *g* hard, verbs with infinitives in *-care* or *-gare* insert *h* after the *c* or *g* whenever these letters precede *e* or *i* : *peccare*, to sin ; *pecchi, pecchiamo, peccherò*, etc. ; *litigare*, to quarrel, *litighi, litigherà*.

Verbs in *-ciare* or *-giare* drop the *i* before *e* or *i* ; *mangiare*, to eat, *mangiamo, mangerete* ; *lasciare*, to leave, *lasci, lasceremo*.

Other verbs in *-iare* drop the *i* before another *i* : *soffiare*, to blow, *soffi, soffiamo, soffierò*.

Verbs in *-cere* or *-gere* insert an *i* after the *c* or *g* only before the *u* of the past participle ; *crescere*, to grow, *cresciuto*.

THE INTERROGATIVE

The Interrogative is formed as in English by inversion whenever the question begins with an interrogative adverb :

> *Quando arriverà Carlo ?* When will Charles arrive ?
> *Che cosa ti ha detto Maria ?* What did Mary say to you ?
> *Dove abita il medico ?* Where does the doctor live ?
> *Quanto costa questo ?* How much does this cost ?

When there is no interrogative adverb, it is possible to ask the question merely by raising the voice at the end of what is outwardly an affirmative sentence : *Carlo ha ricevuto un pacco stamattina ?* as well as, *ha Carlo ricevuto un pacco stamattina ?* or, better still, *ha ricevuto un pacco stamattina Carlo ?*

When the subject is a pronoun in English, since pronouns are not often used in Italian except for emphasis or contrast, the question has the same form as the affirmative sentence, and is again merely indicated by raising the voice : *Hai vinto un premio ;* You have won a prize. *Hai vinto un premio ?* Have you won a prize ? *Hai tu vinto un premio ?* would sound affected.

The use of " do " in the interrogative and negative is peculiar to English, and must not be imitated in Italian. *Viene spesso a trovarvi ?* does he often come to see you? *non prendo zucchero,* I do not take sugar.

LIST OF THE COMMON IRREGULAR VERBS

The irregularity of the Past Historic affects three persons only, the 1st and 3rd singular, and the 3rd plural. These forms have in common an irregular stressed stem, and they have respectively the endings *-i, -e* and *-ero.* The other three persons are perfectly regular, both in stem and endings. The only exceptions are the three verbs : *essere, dare* and *stare.*

In the following list the *verbi composti,* compound verbs, are not given. It is presumed that the reader will grasp for himself that *promettere* and *permettere* are derived from *mettere* preceded by a preposition. In like manner *comporre* is derived from *porre* and *aggiungere* from *giungere.* The verb endings are always the same as those of the principal verb, and it is therefore useless to repeat them.

Abbreviations used : fut., future; impve., imperative; p. abs., past absolute or historic; p. part., past participle; pres. indic., present indicative; pres. subj., present subjunctive. Verbs preceded by * *are* conjugated with *essere.* Verbs preceded by *o* sometimes take *essere,* sometimes *avere.*

1. **accendere,** to light ; *p. abs.* accesi, accendesti, *etc.* ; *p. part.* acceso.
2. **addurre** (= **adducere**), to convey ; *pres. indic.* adduco, *etc.* ; *p. abs.* addussi, adducesti, *etc.* ; *p. part.* addotto ; *fut.* addurrò ; *pres. subj.* adduca, adduciamo, adduciate, adducano ; *impve.* adduci, adduciamo, adducete.
3. **affiggere,** to stick, fasten ; *p. abs.* affissi, affigesti, *etc.* ; *p. part.* affisso.
4. **affligere,** to afflict ; *p. abs.* afflissi, affligesti, *etc.* ; *p. part.* afflitto.
5. **alludere,** to allude ; *p. abs.* allusi, alludesti, *etc.* ; *p. part.* alluso.
*6. **andare,** to go ; *pres. indic.* vado or vò, vai, va, andiamo, andate, vanno ; *fut.* andrò ; *pres. subj.* vada, andiamo, andiate, vadano ; *impve.* và, andiamo, andate.

*7. **apparire**, to appear ; *pres. indic.* appaio *or* apparisco, appari *or* apparisci, appare *or* apparisce, appariamo, apparite, appaiono *or* appariscono ; *p. abs.* apparsi *or* apparvi *or* apparii, apparisti, *etc.* ; *p. part.* apparso *or* apparito ; *pres. subj.* appaia *or* apparisca, appariamo, appariate, appaiano *or* appariscano ; *impve.* appari *or* apparisci, appariamo, apparite.

8. **appendere**, to hang ; *p. abs.* appesi, appendesti, *etc.* ; *p. part.* appeso.

9. **aprire**, to open ; *p. abs.* apersi *or* aprii, apristi, *etc.* ; *p. part.* aperto.

10. **ardere**, to burn ; *p. abs.* arsi, ardesti, *etc.* ; *p. part.* arso.

11. **assolvere**, to absolve ; *p. abs.* assolsi, *or* assolvei *or* assolvetti, assolvesti, *etc.* ; *p. part.* assoluto *or* assolto.

12. **bere** (= **bevere**), to drink ; *pres. indic.* bevo ; *p. abs.* bevvi *or* bevei, *or* bevetti, bevesti, *etc.* ; *p. part.* bevuto ; *fut.* berrò ; *pres. subj.* beva ; *impve.* bevi, beviamo, bevete.

*13. **cadere**, to fall ; *p. abs.* caddi, cadesti, *etc.* ; *fut.* cadrò.

14. **chiedere**, to ask ; *pres. indic.* chiedo *or* chieggo, chiedi, chiediamo, chiedete, chiedono *or* chieggono ; *p. abs.* chiesi, chiedesti, *etc.* ; *p. part.* chiesto ; *pres. subj.* chieda *or* chiegga ; *impve.* chiedi, chiediamo, chiedete.

15. **chiudere**, to close ; *p. abs.* chiusi, chiudesti, *etc.* ; *p. part.* chiuso.

16. **cogliere** or **corre**, to gather ; *pres. indic.* colgo, cogli, coglie, cogliamo, cogliete, colgono ; *p. abs.* colsi, cogliesti, *etc.* ; *p. part.* colto ; *pres. subj.* colga ; *impve.* cogli, cogliamo, cogliete.

17. **concedere**, to concede, grant ; *p. abs.* concessi *or* concedei *or* concedetti, concedesti, *etc.* ; *p. part.* concesso *or* conceduto.

18. **conoscere**, to know ; *p. abs.* conobbi, conoscesti, *etc.*

19. **coprire**, to cover ; *see* aprire.

o20. **correre**, to run ; *p. abs.* corsi, corresti, *etc.* ; *p. part.* corso.

21. **costruire**, to construct, build ; *p. abs.* costrussi, costruisti, *etc.* ; *p. part.* costrutto *or* costruito.

o22. **crescere**, to grow *or* raise ; *p. abs.* crebbi, crescesti, *etc.*

23. **cuocere**, to cook ; *pres. indic.* cuocio, cuoci, cuoce, cociamo cocete, cuociono ; *p. abs.* cossi, cocesti, *etc.* ; *p. part.* cotto ; *pres. subj.* cuocia ; *impve.* cuoci, cociamo, cocete.

24. **dare,** to give ; *pres. indic.* dò, dai, dà, diamo, date, danno ;
    p. abs. diedi *or* detti, desti, *etc.* ; *p. part.* dato, *fut.*
    darò ; *pres. subj.* dia, diamo, diate, diano ; *impve.* dà,
    diamo, date.

25. **decidere,** to decide ; *p. abs.* decisi, decidesti, *etc.* ; *p. part.*
    deciso.

26. **difendere,** to defend ; *p. abs.* difesi, difendesti, *etc.* ;
    p. part. difeso.

27. **dipendere,** to depend ; *see* **appendere.**

28. **dipingere,** to paint ; *p. abs.* dipinsi, dipingesti, *etc.* ;
    p. part. dipinto.

29. **dire** (= dicere), to say, tell ; *pres. indic.* dico, dici, dice,
    diciamo, dite, dicono ; *p. abs.* dissi, dicesti, *etc.* ; *p. part.*
    detto ; *fut.* dirò ; *pres. subj.* dica, diciamo, diciate,
    dicano ; *impve.* dì, diciamo, dite.

30. **dividere,** to divide ; *p. abs.* divisi, dividesti, *etc.* ; *p. part.*
    diviso.

*31. **dolere,** to ache, pain ; *pres. indic.* dolgo, duoli, duole,
    doliamo, dolete, dolgono ; *p. abs.* dolsi, dolesti, *etc.* ;
    fut. dorrò ; *pres. subj.* dolga, doliamo, doliate, dolgano.

o32. **dovere,** to have to, to be obliged to, must ; *pres. indic.*
    devo *or* debbo, devi, deve, dobbiamo, dovete, devono
    or debbono ; *fut.* dovrò ; *pres. subj.* deva *or* debba,
    dobbiamo, dobbiate, devano *or* debbano.

33. **esplodere,** to explode ; *p. abs.* esplosi, esplodesti, *etc.* ;
    p. part. esploso.

*34. **evadere,** to evade *or* escape ; *p. abs.* evasi, evadesti, *etc.* ;
    p. part. evaso.

35. **fare** (= facere), to do, make ; *pres. indic.* faccio *or* fò, fai,
    fa, facciamo, fate, fanno ; *p. abs.* feci, facesti, *etc.* ;
    p. part. fatto ; *fut.* farò ; *pres. subj.* faccia, facciamo,
    facciate, facciano ; *impve.* fà, facciamo, fate.

36. **fondere,** to melt ; *p. abs.* fusi, fondesti, *etc.* ; *p. part.* fuso.

37. **friggere,** to fry ; *p. abs.* frissi, friggesti, *etc.* ; *p. part.*
    fritto.

o38. **giungere,** to arrive *or* to join (the hands) ; *p. abs.* giunsi
    giungesti, *etc.* ; *p. part.* giunto.

39. **leggere,** to read ; *p. abs.* lessi, leggesti, *etc.* ; *p. part.* letto.

40. **mettere,** to put ; *p. abs.* misi *or* messi, mettesti, *etc.* ;
    p. part. messo.

41. **mordere,** to bite ; *p. abs.* morsi, mordesti, *etc.* ; *p. part.*
    morso.

*42. morire, to die ; *pres. indic.* muoio, muori, muore, moriamo, morite, muoiono ; *p. part.* morto ; *fut.* morirò *or* morrò, *pres. subj.* muoia, moriamo, moriate, muoiano ; *impve.* muori, moriamo, morite.

43. muovere *or* movere, to move ; *pres. indic.* muovo *or* movo, muovi *or* movi, muove *or* move, moviamo, movete, muovono *or* movono ; *p. abs.* mossi, movesti, *etc.* ; *p. part.* mosso ; *pres. subj.* muova *or* mova, moviamo, moviate, muovano *or* movano ; *impve.* muovi *or* movi, moviamo, movete.

*44. nascere, to be born ; *p. abs.* nacqui, nascesti, *etc.* ; *p. part.* nato.

45. nascondere, to hide, conceal ; *p. abs.* nascosi, nascondesti, *etc.* ; *p. part.* nascosto.

46. nuocere *or* nocere, to hurt, prejudice ; *pres. indic.* noccio, nuoci, nuoce, nociamo, nocete, nocciono ; *p. abs.* nocqui, nocesti, *etc.* ; *pres. subj.* noccia, nociamo, nociate, nocciano ; *impve.* nuoci *or* noci, nociamo, nocete.

47. offrire, to offer ; *p. abs.* offersi *or* offrii, offristi, *etc.* ; *p. part.* offerto.

*48. parere, to seem, appear ; *pres. indic.* paio, pari, pare, paiamo, parete, paiono ; *p. abs.* parvi *or* parsi, paresti, *etc.* ; *p. part.* parso ; *fut.* parrò ; *pres. subj.* paia, paiamo, pariate, paiano.

49. perdere, to lose ; *p. abs.* persi *or* perdei *or* perdetti, perdesti, *etc.* ; *p. part.* perso *or* perduto.

50. persuadere, to persuade ; *p. abs.* persuasi, persuadesti ; *p. part.* persuaso.

*51. piacere, to please ; *pres. indic.* piaccio, piaci, piace ; piacciamo, piacete, piacciono ; *p. abs.* piacqui, piacesti, *etc.* ; *pres. subj.* piaccia, piacciamo, piacciate, piacciano, *impve.* piaci, piacciamo, piacete.

52. piangere, to cry, weep ; *p. abs.* piansi, piangesti, *etc.* ; *p. part.* pianto.

53. porgere, to present, offer ; *p. abs.* porsi, porgesti, *etc.* ; *p. part.* porto.

54. porre (= ponere), to put ; *pres. indic.* pongo, poni, pone, poniamo, ponete, pongono ; *p. abs.* posi, ponesti, *etc.* ; *p. part.* posto ; *fut.* porrò ; *pres. subj.* ponga, poniamo, poniate, pongano ; *impve.* poni, poniamo, ponete.

o55. potere, to be able, may, can ; *pres. indic.* posso, puoi, può, possiamo, potete, possono ; *fut.* potrò ; *pres. subj.* possa, possiamo, possiate, possano.

56. **prendere,** to take ; *p. abs.* presi, prendesti, *etc.* ; *p. part.* preso.

57. **proteggere,** to protect ; *p. abs.* protessi, proteggesti, *etc.* ; *p. part.* protetto.

58. **pungere,** to prick, to sting ; *p. abs.* punsi, pungesti, *etc.* ; *p. part.* punto.

59. **radere,** to shave ; *p. abs.* rasi, radesti, *etc.* ; *p. part.* raso.

60. **reggere,** to support, *p. abs.* ressi, reggesti, *etc.* ; *p. part.* retto.

61. **rendere,** to render ; *p. abs.* resi, rendesti, *etc.* ; *p. part.* reso.

62. **ridere,** to laugh ; *p. abs.* risi, ridesti, *etc.* ; *p. part.* riso.

*63. **rimanere,** to remain ; *pres. indic.* rimango, rimani, rimane, rimaniamo, rimanete, rimangono ; *p. abs.* rimasi, rimanesti ; *p. part.* rimasto ; *fut.* rimarrò ; *pres. subj.* rimanga, rimaniamo, rimaniate, rimangano ; *impve.* rimani, rimaniamo, rimanete.

64. **rispondere,** to answer ; *p. abs.* risposi, rispondesti, *etc.* ; *p. part.* risposto.

65. **rompere,** to break ; *p. abs.* ruppi, rompesti, *etc.* ; *p. part.* rotto.

o66. **salire,** to ascend, climb ; *pres. indic.* salgo, sali, sale, saliamo, salite, salgono ; *pres. subj.* salga, saliamo, saliate, salgano ; *impve.* sali, saliamo, salite.

67. **sapere,** to know, to know how ; *pres. indic.* so, sai, sa, sappiamo, sapete, sanno ; *p. abs.* seppi, sapesti, *etc.* ; *fut.* saprò ; *pres. subj.* sappia, sappiamo, sappiate, sappiano ; *impve.* sappi, sappiamo, sappiate.

68. **scegliere,** to choose ; *pres. indic.* scelgo, scegli, sceglie, scegliamo, scegliete, scelgono ; *p. abs.* scelsi, scegliesti, *etc.* ; *p. part.* scelto ; *pres. subj.* scelga, scegliamo, scegliate, scelgano ; *impve.* scegli, scegliamo, scegliete.

*69. **scendere,** to descend ; *p. abs.* scesi, scendesti, *etc.* ; *p. part.* sceso.

70. **sciogliere,** to untie, to melt ; *pres. indic.* sciolgo, sciogli, scioglie, sciogliamo, sciogliete, sciolgono ; *p. abs.* sciolsi, sciogliesti, *etc.* ; *p. part.* sciolto ; *pres. subj.* sciolga, sciogliamo, sciogliate, sciolgano ; *impve.* sciogli, sciogliamo, sciogliete.

71. **scorgere,** to perceive ; *p. abs.* scorsi, scorgesti, *etc.* ; *p. part.* scorto.

72. **scrivere,** to write ; *p. abs.* scrissi, scrivesti, *etc.* ; *p. part.* scritto.

73. **scuotere,** to shake ; *pres. indic.* scuoto, scuoti, scuote, scotiamo, scotete, scuotono ; *p. abs.* scossi, scotesti, *etc.* ; *p. part.* scosso ; *fut.* scoterò ; *pres. subj.* scuota, scotiamo, scotiate, scuotano ; *impve.* scuoti, scotiamo, scotete.

74. **sedere,** to sit ; *pres. indic.* siedo *or* seggo, siedi, siede, sediamo, sedete, siedono *or* seggono ; *pres. subj.* sieda *or* segga, sediamo, sediate, siedano *or* seggano ; *impve.* siedi, sediamo, sedete.

75. **soffrire,** to suffer ; *p. abs.* soffersi or soffrii, soffristi, *etc.* ; *p. part.* sofferto.

*76. **solere,** to be accustomed to ; *pres. indic.* soglio, suoli, suole, sogliamo, solete, sogliono ; *pres. subj.* soglia, sogliamo, sogliate, sogliano ; *p. part.* solito.

*77. **sorgere,** to rise ; *p. abs.* sorsi, sorgesti, *etc.* ; *p. part.* sorto.

78. **spandere,** to shed ; *p. part.* spanto.

79. **spargere,** to shed, scatter ; *p. abs.* sparsi, spargesti, *etc.* ; *p. part.* sparso.

80. **spegnere** or **spengere,** to extinguish ; *pres. indic.* spengo, spengi, spenge, spengiamo, spengete, spengono ; *p. abs.* spensi, spengesti, *etc.* ; *p. part.* spento.

81. **spendere,** to spend ; *p. abs.* spesi, spendesti, *etc.* ; *p. part.* speso.

*82. **stare,** to stay, stand, be ; *pres. indic.* sto, stai, sta, stiamo, state, stanno ; *p. abs.* stetti, stesti, *etc.* ; *pres. subj.* stia, stiamo, stiate, stiano ; *fut.* starò ; *impve.* sta, stiamo, state.

83. **stringere,** to bind fast, to clasp ; *p. abs.* strinsi, stringesti, *etc.* ; *p. part.* stretto.

84. **tacere,** to pass over in silence, not to say, to be silent ; *pres. indic.* taccio, taci, tace, taciamo, tacete, tacciono ; *p. abs.* tacqui, tacesti, *etc.* ; *pres. subj.* taccia, taciamo, taciate, tacciano ; *impve.* taci, taciamo, tacete.

85. **tendere,** to tend ; *p. abs.* tesi, tendesti ; *p. part.* teso.

86. **tenere,** to hold, to have ; *pres. indic.* tengo, tieni, tiene, teniamo, tenete, tengono ; *p. abs.* tenni, tenesti, *etc.* ; *fut.* terrò ; *pres. subj.* tenga, teniamo, teniate, tengano ; *impve.* tieni, teniamo, tenete.

87. **togliere** or **torre,** to take away from ; *pres. indic.* tolgo, togli, toglie, togliamo, togliete, tolgono ; *p. abs.* tolsi,

togliesti, *etc.*; *p. part.* tolto; *pres. subj.* tolga, togliamo, togliate, tolgano; *impve.* togli, togliamo, togliete.

88. trarre (= traere), to draw, pull; *pres. indic.* traggo, trai, trae, traiamo, traete, traggono; *p. abs.* trasse, traesti, *etc.*; *p. part.* tratto; *fut.* trarrò; *pres. subj.* tragga, traiamo, traiate, traggano; *impve.* trai, traiamo, traete.

89. uccidere, to kill; *p. abs.* uccisi, uccidesti, *etc.*; *p. part.* ucciso.

90. udire, to hear; *pres. indic.* odo, odi, ode, udiamo, udite, odono; *pres. subj.* oda, udiamo, udiate, odano; *impve.* odi, udiamo, udite.

*91. uscire, to go out; *pres. indic.* esco, esci, esce, usciamo, uscite, escono; *pres. subj.* esca, usciamo, usciate, escano; *impve.* esci, usciamo, uscite.

*92. valere, to be worth; *pres. indic.* valgo, vali, vale, valiamo, valete, valgono; *p. abs.* valsi, valesti, *etc.*; *p. part.* valso; *fut.* varrò; *pres. subj.* valga, valiamo, valiate, valgano.

93. vedere, to see; *p. abs.* vidi, vedesti, *etc.*; *p. part.* visto or veduto; *fut.* vedrò.

*94. venire, to come; *pres. indic.* vengo, vieni, viene, veniamo, venite, vengono; *p. abs.* venni, venisti, *etc.*; *p. part.* venuto; *fut.* verrò; *pres. subj.* venga, veniamo, veniate, vengano; *impve.* vieni, veniamo, venite.

95. vincere, to win; *p. abs.* vinsi, vincesti, *etc.*; *p. part.* vinto.

*96. vivere, to live; *p. abs.* vissi, vivesti, *etc.*; *p. part.* vissuto.

97. volere, to will, wish, want; *pres. indic.* voglio, vuoi, vuole, vogliamo, volete, vogliono; *p. abs.* volli, volesti, *etc.*; *fut.* vorrò; *pres. subj.* voglia, vogliamo, vogliate, vogliano; *impve.* vogli, vogliamo, vogliate.

98. volgere, to turn, revolve; *p. abs.* volsi, volgesti, *etc.*; *p. part.* volto.

PASSPORT FORMALITIES

VOCABULARY

English.	Italian.	Pronunciation.
The passport	Il passaporto	il passaporto
The passport examination	Il controllo dei passaporti	il kontrɔllo dei passapɔrti
The visa	Il visto	il visto
The permit to stay	Il permesso di soggiorno	il permesso di ssoddʒorno
The purpose	Lo scopo	lo skɔpo
The fee	La quota	la kwɔta

PHRASES

Do I need a visa ?	Mi occorre il visto ?	mi okkorre il visto ?
I am going as a tourist	Viaggio come turista	vjaddʒo kome turista
I wish to seek employment	Desidero trovare lavoro	de'sidero trovare lavoro
I am on my way to Italy	Sono diretto in Italia	sono dirɛtto in i'talia
I wish to break journey in Turin	Desidero interrompere il viaggio a Torino	de'sidero inter'rompere il vjaddʒo a ttorino
How long may I stay in Italy ?	Quanto tempo posso restare in Italia ?	kwanto tɛmpo pɔsso restare in italia ?
Do I report to the police ?	Devo denunciare il mio arrivo in polizia ?	dɛvo denuntʃare il mio arrivo im polit'sia ?
How much does the visa cost ?	Quanto costa il visto ?	kwanto kɔsta il visto ?
Must I get a permit to stay ?	Devo ottenere un permesso per soggiornare ?	dɛvo ottenere um permesso per soddʒornare ?

45

English.	Italian.	Pronunciation.
Must I get a permit to work?	Devo ottenere un permesso per lavorare?	dɛvo ottenere um permesso per lavorare?
You must have your passport renewed	Bisogna che Lei si faccia rinnovare il passaporto	bizoɲya ke llɛi si fattʃa rinnovare il passapɔrto
Where is the British Consulate?	Dov'è il consolato inglese?	dov'ɛ il konsolato iŋglese?
Is there a British Consulate in this town?	C'è il consolato inglese in questa città?	tʃ ɛ il konsolato iŋglese iŋ kwesta tʃit'ta?
Where is the nearest town with a British consulate?	Qual'è la città più vicina dove ci sia un console inglese?	kwal ɛ lla ttʃit'ta pju vvitʃina dove tʃissia uŋ 'konsole iŋglese?

CUSTOMS

VOCABULARY

The duty	La dogana	la dogana
The custom-house	L'ufficio-dogana	l uffitʃo-dogana
The custom-house officer	Il doganiere	il doganiɛre
The luggage	Il bagaglio	il bagaλλo
The tobacco	Il tabacco	il tabakko
The cigars	I sigari	i 'sigari
The cigarettes	Le sigarette	le sigarette
The perfume	Il profumo	il profumo
The camera	La macchina fotografica	la 'makkina foto-'grafika
The dutiable articles	Gli articoli soggetti a dogana	λi ar'tikoli sod-dʒetti a ddogana

PHRASES

English.	Italian.	Pronunciation.
Where is the custom-house ?	Dov'è la dogana ?	dov'ɛ la dogana
Here is my luggage	Questo è il mio bagaglio	kwesto ɛ il mio bagaʎʎo
Will you examine my luggage, please ?	Vuole esaminare il mio bagaglio ?	vwɔle ezaminare il mio bagaʎʎo ?
Have you anything to declare ?	Ha qualchecosa da dichiarare ?	a kkwalkekɔsa da dikjarare ?
Have you any of the articles on this list ?	Ha qualcuno degli articoli citati su questa lista ?	a kkwalkuno deʎʎi ar'tikoli tʃitati su kkwesta lista ?
Have you any spirits or tobacco ?	Ha dei liquori o del tabacco ?	a ddei likwori o ddel tabakko ?
I have a small bottle of perfume	Ho una bottiglietta di profumo	ɔ una bottiʎʎetta di profumo
That is free of duty	Questo non paga dogana	kwesto non paga dogana
Is that all ?	È tutto qui ?	ɛ ttutto kwi ?
Is my luggage passed ?	Il mio bagaglio ha passato la dogana ?	il mio bagaʎʎo a ppassato la dogana ?
Will you take this luggage to a taxi ?	Mi può portare questo bagaglio ai taxi ?	mi pwɔ portare kwesto bagaʎʎo ai tas'si ?

TRAVELLING BY RAIL

VOCABULARY

The transport	I trasporti	i trasporti
The railway	La ferrovia	la fɛrro'via
The station	La stazione	la stattsione
The train	Il treno	il trɛno

English.	Italian.	Pronunciation.
The enquiry office	L'ufficio informazioni	l uffitʃo iŋformattsioni
The fare	Il prezzo del biglietto	il prɛttso del biλλetto
The ticket	Il biglietto	il biλλetto
The platform	La banchina (in general)	la baŋkina
	Il binario (the rails, used with numbers to indicate the different platforms)	il binario
The express train	Il direttissimo	il diret'tissimo
The slow train	L'accelerato	l attʃelerato
	Il treno omnibus (stopping at every little station)	il trɛno 'omnibus
The coach, the carriage	Il vagone, la vettura	il vagone, la vettura
The compartment	Lo scompartimento	lo skompartimento
The seat	Il posto	il posto
The corner seat	Il posto d'angolo	il posto d''aŋgolo
To reserve a seat	Riservare un posto	riservare un posto
The lavatory	La toilette, i gabinetti	la twa'let, i gabinetti
The passenger	Il viaggiatore	il viaddʒatore
The luggage	Il bagaglio, i bagagli	il bagaλλo, i bagaλλi
The cloak-room	Il deposito bagagli	il de'pɔsito bagaλλi
The arrival	L'arrivo	l arrivo
The departure	La partenza	la partentsa
The barrier	La barriera (but Italians really say l'uscita, the exit)	la barrjera, l uʃita

PHRASES

English.	Italian.	Pronunciation.
Where do I get a ticket?	Dove si fanno i biglietti?	dove si ffanno i biλλetti?
Is the booking-office open?	È aperto l'ufficio prenotazioni?	ε apεrto l uffitʃo prenotatsioni?
One second-class return to Rome	Un biglietto d'andata e ritorno Roma, seconda classe	un biλλetto d andata e rritɔrno roma, sekonda klasse
Two platform tickets	Due biglietti d'ingresso	due biλλetti d iŋgresso
Are you travelling via Turin or Milan?	Passa per Torino o per Milano?	passa per torino o pper milano?
Which is the shortest way?	Quale è la via più breve?	kwale ε la via pju bbrεve?
What is the fare to Rome?	Quanto costa il biglietto per Roma?	kwanto kɔsta il biλλetto per roma?
You have to pay a surcharge on this ticket	Deve pagare un supplemento a questo biglietto	dεve pagare un supplemento a kkwesto biλλetto
Have your change ready	Preparate il denaro	preparate il denaro
Can I break the journey?	Posso fare una sosta?	pɔsso fare una sɔsta?
	Posso interrompere il viaggio?	pɔsso inter'rompere il viaddʒo?
Yes, your ticket is valid for a month	Sì, il suo biglietto è valido per un mese	si, il suo biλλetto ε 'vvalido per um mese
Shall I get the connection?	Potrò prendere la coincidenza?	po'tro 'pprεndere la kointʃidεntsa?
Where must I change?	Dove devo cambiare?	dove dεvo kambjare?
Will the train be late?	Avrà ritardo il treno?	av'ra rɪtardo il trεno?

English.	Italian.	Pronunciation.
I wish to register this luggage to Bologna	Desidero assicurare questo bagaglio e spedirlo a Bologna.	de'sidero assikurare kwesto bagaʎʎo e sspedirlo a bboloɲɲa
You will have to pay excess luggage on this	Dovrà pagare per eccesso di peso per questo bagaglio	do'vra ppagare per ettʃesso di peso per kwesto bagaʎʎo
Please bring me the registration slip to the first-class restaurant	Per favore mi porti lo scontrino della spedizione al ristorante di prima classe	per favore mi pɔrti lo skontrino della speditsione al ristorante di prima klasse
Please leave these suitcases in the cloakroom	Per favore, lasci queste valige in deposito	per favore, laʃi kweste validʒe in de'posito
From which platform does the train for Turin start ?	Da che binario parte il treno per Torino ?	da kke binarjo parte il trɛno per torino ?
Platform number four, through the subway	Binario numero quattro, attraverso il sotto passaggio	bi'nario 'numero kwattro, attravɛrso il sotto ppassaddʒo
Please get me a corner seat, second class, facing the engine, non-smoker	Per favore, mi cerchi un posto d'angolo, in seconda classe, nella direzione della macchina, non fumatori	per favore, mitʃerki um posto d'aŋgolo, in sekonda klasse, nella diretsione della 'makkina, non fumatori
Is there a restaurant car on the train ?	C'è un vagone ristorante sul treno?	tʃɛ un vagone ristorante sul trɛno?
This train is entirely a sleeper	Questo treno è formato completamente da vagoniletti	kwesto trɛno ɛ fformato kompletamente da vvagonilɛtti

English.	Italian.	Pronunciation.
Have you a reserved seat ?	Ha un posto riservato ?	a um posto riservato ?
When does the train arrive ?	Quando arriva il treno ?	kwando arriva il treno ?
You will find the arrival and departure times of the trains in the time-table	Troverà l'ora di arrivo e di partenza dei treni nell'orario ferroviario	trove'ra ll ora di arrivo e ddi partɛntsa dei trɛni nell orario fɛrroviario
Here is the summer time-table	Ecco l'orario estivo	ɛkko lo'rario estivo
I bought my ticket at the travel agency	Ho comprato il biglietto all'agenzia dei viaggi	o kkomprato il biλλetto all adʒentsia dei vjaddʒi
Have you insured your luggage ?	Ha assicurato i suoi bagagli ?	a assikurato i swoi bagaλλi ?
Take your seats, please	In carrozza, signori	iŋ karrottsa, siɲɲori
Your case is too large for this rack	La sua valigia è troppo grande per questa rete	la sua validʒa ɛ ttrɔppo grande per kwesta rete
Windows may be opened only with the permission of all fellow passengers	I finestrini si possono aprire solo col permesso degli altri viaggiatori	i finestrini si 'possono aprire solo col permesso deλλi altri viaddʒatori
Do not lean out of the window	È pericoloso sporgersi	ɛ pperikoloso 'spordʒersi
Where is the communication cord ?	Dov'è il segnale d'allarme ?	dov ɛ il seɲale d allarme ?
Which is the next station ?	Qual 'è la prossima stazione ?	kwal ɛ la 'prossima statsione ?
How long do we stop here ?	Quanto ci fermiamo qui ?	kwanto tʃi fermjamo kwi ?

English.	Italian.	Pronunciation.
You had better ask the ticket-collector when he checks the tickets	**Dovrebbe domandarlo al controllore quando viene a controllare i biglietti**	dovrɛbbe domandarlo al kontrollore kwando vjɛne a kkontrollare i biλλetti
I have left my overcoat in the train	**Ho lasciato il mio cappotto in treno**	ɔ llaʃato il mio kappotto in trɛno
Bologna! All change here	**Bologna! Si cambia**	boloɲɲa'! si kambja
Where is the Lost Property Office?	**Dov'è l'ufficio oggetti smarriti?**	dov ɛ ll uffitʃo oddʒetti smarriti?
Where is the station hotel?	**Dov'è l'albergo della stazione?**	dov ɛ ll albɛrgo della statsione?
Where is the waiting-room?	**Dov'è la sala d'aspetto?**	dov ɛ lla sala d aspɛtto?

TRAVELLING BY CAR

VOCABULARY

The motor-car	**L'automobile**	l auto'mɔbile
The motor-bus	**Il pullman**	il pullman
	L'autobus	l 'autobus
The taxi	**Il taxi**	il tas'si
The motorist	**L'automobilista**	l automobilista
The chassis	**Il telaio**	il telajo
The body	**La carrozzeria**	la karrottse'ria
The bonnet	**Il cofano**	il 'kɔfano
The mudguard	**Il parafango**	il parafaŋgo
The wheel	**La ruota**	la rwɔta
The tyre	**Il copertone**	il kopertone
The brake	**Il freno**	il freno
The gear-lever	**La leva comando marce**	la lɛva komando martʃe
The gear-box	**Il cambio di velocità**	il kambjo di velotʃi'ta
The steering-wheel	**Il volante**	il volante

English.	Italian.	Pronunciation.
The exhaust	Il tubo di scappamento	il tubo di skappamento
The battery	La batteria	la batte'ria
The carburettor	Il carburatore	il karburatore
The accelerator	L'acceleratore	l attʃeleratore
The hood	La capote	la ka'pot
The bumper	Il paraurti	il paraurti
The motor-horn	Il clacson	il klakson
The windscreen	Il parabrise	il parabrise
The spare parts	I pezzi di ricambio	i pɛttsi di rikambjo
The petrol-station	Il distributore della benzina	il distributore della bendzina
The petrol	La benzina	la bendzina
The garage	Il garage, l'autorimessa	il ga'radʒ, l autorimessa
To overtake	Sorpassare	sorpassare
To park	Lasciare (parcheggiare is still a too modern and rather horrid expression)	laʃare, parkeddʒare

PHRASES

May I park my car here ?	Posso lasciare qui la mia macchina ?	pɔsso laʃare kwi la mia 'makkina ?
Are you the owner-driver ?	Ha la licenza per uso proprio ?	a lla litʃɛntsa per uso prɔprio ?
What is the horse-power of your car ?	Che cilindrata ha la sua macchina ?	ke ttʃilindrata a lla sua 'makkina ?
I have a touring saloon	Ho una macchina a quattro portiere	ɔ una 'makkina a kkwattro pɔrtjere
I have a sports car	Ho una macchina tipo sport	ɔ una 'makkina tipo sport
My car is a two-seater	La mia macchina è a due posti	la mia 'makkina ɛ a due posti

English.	Italian.	Pronunciation.
Who will drive to-day?	Chi guida oggi?	ki ggwida ɔddzi?
Have you your driving licence with you?	Ha la patente con sè?	a lla patɛnte con sɛ?
Hadn't we better put the hood down? It is getting hot	Non sarebbe meglio abbassare la capote? Comincia a far caldo	non sarɛbbe meʎʎo abbassare la ka-ˈpot? komintʃa a ffar kaldo
Look out for the bends, otherwise we shall skid	Attento alle curve Potremmo slittare	attɛnto alle kurve potremmo zlittare
Did you see the traffic lights?	Ha visto il sema-foro?	a vvisto il seˈma-foro?
The traffic police-man took our number	Il vigile ha preso il numero della macchina	il ˈvidʒile a ppreso il ˈnumero della ˈmakkina
We shall have to pay a fine	Dovremo pagare la multa	dɔvremo pagare la multa
I have had a break-down	Ho avuto un guasto	ɔ avuto uŋ gwasto
It does not matter if I get a punc-ture, I have a spare wheel with me	Non importa se foriamo, ho la ruota di ricambio	non importa se fforiamo, ɔ lla rwɔtadi ri kambjo
Have you any spare parts with you?	Ha dei pezzi di ricambio?	a ddei pɛttsi di rikambjo?
Shall I press the self-starter?	Devo premere l'av-viamento auto-matico?	dɛvo ˈprɛmere l av-vjamentɔ auto-ˈmatiko?
Step on the gas	Apra il gas	apra il gaz
You must switch on the headlights	Deve accendere i fari	dɛve attʃendere i fari
We are going down-hill	Siamo in discesa	sjamo in diʃesa

English.	Italian.	Pronunciation.
Shall I start the w i n d s c r e e n wiper ?	Devo dar la via al tergicristallo ?	dɛvo dar la via al tɛrdʒikristallo ?
I must change into second gear	Devo mettere la seconda	dɛvo mettere la sekonda
Where can I park my car ?	Dove posso lasciare la macchina ?	dove pɔsso laʃare la 'makkina ?
Where can I get this car repaired ?	Dove posso far riparare la macchina?	dove pɔsso far riparare la 'makkina ?
I have had a collision	Ho avuto uno scontro	ɔ avutɔ unɔ skontro
Where is the nearest petrol-station ?	Qual è il rifornimento più vicino ?	kwal ɛ il riforni-mentɔ pju vvi-tʃino ?
I must get my tank filled, and have my tyres inflated	Devo fare il pieno di benzina, e far gonfiare le gom-me	dɛvo fare il pjɛno di bendzina, e ffar gonfjare le gomme
Slow down	Rallentare	rallentare
One-way road	Senso unico	senso 'uniko
Speed limit eighty kilometres	Velocità massima ottanta chilometri	velotʃi'ta 'massima ottanta ki'lometri
Cross-roads	Incrocio	iŋkrotʃo
Main road ahead	Strada con precedenza assoluta	strada kom pre-tʃedɛntsa as-soluta
Street repairs	Strada in riparazione	strada in ripara-tsione
	Lavori in corso	lavori iŋ korso
Diversion	Diversione	diversione
Level crossing	Passaggio a livello	passaddʒo a llivɛllo
No entry	Senso proibito	senso proibito

TRAVELLING BY SEA

VOCABULARY

English.	Italian.	Pronunciation.
The port	Il porto	il pɔrto
The steamship company	La compagnia di navigazione	la kompaˈɲia di navigatʒione
The one-class liner	Il transatlantico a classe unica	il transaˈtlantiko a kklasse ˈunika
The liner	Il transatlantico	il transaˈtlantiko
The first class	La prima classe	la prima klasse
The steerage	La terza classe	la tɛrtsa klasse
The passage, crossing	La traversata	la traversata
The hull	Lo scafo	lo skafo
The bow	La prua, la prora	la prua, la prɔra
The stern	La poppa	la poppa
The gangway	La passerella	la passerɛlla
The funnel	Il fumaiolo	il fumajɔlo
The porthole	L'oblò	l oˈblɔ
The railing	Il parapetto	il parappɛttɔ
The mast	L'albero maestro	l ˈalbero maˈɛstro
The dining-room	La sala da pranzo	la sala da pprantso
The smoking-room	La sala per fumatori	la sala per fumatori
The cabin	La cabina	la kabina
The deck	La coperta	la koperta
The deck-chair	La sedia a sdraio	la sɛdia a zdrajo
The life-boat	La lancia di salvataggio	la lantʃa di salvataddʒo
The life-belt	La cintura di salvataggio	la tʃintura di salvataddjo
The passenger	Il passeggero	il passeddʒɛro
The seasickness	Il mal di mare	il mal di mare
The crew	L'equipaggio	l ekuipaddʒo
The captain	Il capitano	il kapitano
The purser	Il commissario di bordo	il kommissarjo di bordo

English.	Italian.	Pronunciation.
The steward	Il cameriere	il kamerjɛre
To book the passage	Fissare un posto	fissare um posto
To embark	Imbarcarsi	imbarkarsi
To disembark	Sbarcare	zbarkare
To roll	Rullare	rullare
To pitch	Beccheggiare	bekkeddʒare

PHRASES

Have you taken your steamer ticket ?	Ha già preso il biglietto per il piroscafo ?	a ddʒa ppreso il biʎʎetto per il pi'rɔskafo ?
Have you booked a cabin ?	Ha fissato una cabina ?	a ffissato una kabina ?
Which route are you travelling by ?	Che itinerario seguite nel vostro viaggio ?	ke itinerarjo segwite nel vɔstro vjaddʒo ?
When are you sailing ?	Quando partirete ?	kwando partirete ?
I am travelling first class	Viaggio in prima classe	vjaddʒo im prima klasse
The cargo boat takes some passengers	Il mercantile prende qualche passegero a bordo	il merkantile prɛnde kwalke passeddʒero a bbordo
How many knots does she do ?	A quanti nodi si va ?	a kkwanti nɔdi si va ?
This steamer is not one of the fastest, but it is a very comfortable one	Questo piroscafo non è dei più rapidi, ma è molto comodo	kwesto pi'rɔscafo non ɛ dei pju 'rrapidi, ma ɛ mmolto 'kɔmodo
Where does she stop on the voyage ?	Dove fa scalo questo piroscafo ?	dove fa sskalo kwesto pi'rɔskafo?
Where is my cabin ?	Dov'è la mia cabina ?	dov ɛ la mia kabina ?
I cannot stand the noise of the propellers	Non posso soffrire il rumore delle eliche	nom pɔsso soffrire il rumore delle 'ɛlike

English.	Italian.	Pronunciation.
Where can I get a deck-chair ?	Dove posso trovare una sedia a sdraio ?	dove pɔsso trovare una sɛdja a zzdrajo ?
Is there a doctor on board ?	C'è un medico a bordo ?	tʃ ɛ un ˈmɛdiko a bbordo ?
My wife has been seasick for some days (!)	Mia moglie da parecchi giorni soffre il mal di mare	mia moλλe da pparekki dʒorni sɔffre il mal di mare
Are you a good sailor ?	Non soffre il mare Lei ?	non sɔffre il mare lɛi ?
We are having a rough passage	Stiamo facendo una cattiva traversata	stjamo fatʃendo una kattiva traversata
The ship is rolling and pitching	La nave rulla e beccheggia	la nave rulla e bbekkɛddʒa
The sea is very rough	Il mare è molto agitato	il mare ɛ molto adʒitato
It is getting foggy	Sta scendendo la nebbia	sta ʃʃendɛndo la nebbja
Visibility is bad	La visibilità è cattiva	la visibiliˈta ɛ kkattiva
The fog-horn is sounding	Sta suonando la sirena	sta sswonando la sirɛna
Where can I send a wireless telegram ?	Dove posso spedire un telegramma-radio ?	dove pɔsso spedire un telegramma-radjo ?
In the wireless-operator's room	Nella cabina del marconista	nella kabina del markonista
Get your passports and landing-cards ready, the coast is in sight. We shall soon be alongside	Preparate i passaporti e le carte di sbarco, la costa è in vista. Fra poco ci accostiamo al molo	preparate i passaporti e lle karte di zbarkɔ, la kɔsta ɛ in vista. fra pɔko tʃi akkostjamo al mɔlo

TRAVELLING BY AIR
VOCABULARY

English.	Italian.	Pronunciation.
The air-transport	I trasporti aerei	i trasporti aɛrei
The aircraft	L'aeroplano	l aeroplano
The flying-boat	L'idrovolante	l idrovolante
The engine	Il motore	il motore
The airscrew (propeller)	L'elica	l 'ɛlika
The cabin	La cabina	la kabina
The cockpit	La carlinga	la karliŋga
The wing	L'ala	l ala
The undercarriage	Il carrello d'atterraggio	il karrɛllo d atterraddʒo
The airways time-table	L'orario dei servizi aerei	l o'rario dei servitsi a'ɛrei
The Continental Airways	I servizi aerei dell'Europa	i servitsi a'ɛrei dell europa
The passenger	Il passeggero	il passeddʒero
The airport	L'aeroporto	l areoporto
The aerodrome	L'aerodromo	l areodromo
To take off	Decollare	dekollare
To land	Atterrare	atterrare
To fly	Volare	volare

PHRASES

Which is the quickest way to the airport?	Qual' è la strada più breve per andare all'aeroporto?	kwal ɛ lla strada pju bbrɛve per andare all aeroporto?
When does the next plane leave for Vienna?	Quando parte il primo aeroplano per Vienna?	kwando parte il primo aeroplano per viɛnna?
The time-table is in the hall	L'orario è nella hall	l o'rario ɛ nella ol

English.	Italian.	Pronunciation.
I should like to travel without breaking the journey (without intermediate landing)	Vorrei viaggiare direttamente senza fare scalo da nessuna parte	vorrɛi vjaddʒare direttamente sentsa fare skalo da nnessuna parte
How many passengers does this aeroplane take ?	Quanti passeggeri può prendere questo aeroplano ?	kwanti passeddʒeri pwɔ 'pprendere kwesto aeroplano ?
This aeroplane carries fifty passengers in the cabin and a crew of five	Questo aeroplano può portare cinquanta passeggeri nella cabina e un equipaggio di cinque uomini	kwesto aeroplano pwɔ pportare tʃiŋkwanta passeddʒeri nella kabina e un ekwipaddʒo di tʃiŋkwe 'wɔmini
Where will they put my luggage ?	Dove metteranno il mio bagaglio ?	dove metteranno il mio bagaʎʎo ?
In the luggage hold	Nella stiva dei bagagli	nella stiva dei bagaʎʎi.
The plane is just taxi-ing out of the hangar	L'aeroplano sta uscendo ora dall' hangar, correndo lungo il terreno	l aeroplano sta uʃendo ora dal aŋ'gar, correndo lungo il terreno
It is a four-engined plane	È un aeroplano a quattro motori	ɛ un aeroplano a kkwattro motori
Europe is served by a network of airways	L'Europa è servita da una rete di comunicazioni aeree	l eurɔpa ɛ sservita da una rɛte di komunikatsioni a'ɛree
The jet-propelled aircraft has a great range	L'aeroplano a reazione ha un grande raggio di volo	l aeroplano a rreatsione a uŋ grande raddʒo di volo

English.	Italian.	Pronunciation.
The load capacity of an aeroplane is limited	Il carico utile di un aeroplano è limitato	il 'kariko 'utile di un aeroplano ɛ llimitato

TRAVELLING BY BICYCLE

VOCABULARY

English	Italian	Pronunciation
The bicycle	La bicicletta	la bitʃikletta
The handlebars	Il manubrio	il manubrjo
The saddle	La sella	la sɛlla
The pedal	Il pedale	il pedale
The free-wheel	La ruota libera	la ruɔta 'libera
The chain	La catena	la katena
The bell	Il campanello	il kampanɛllo
The frame	Il telaio	il telajo
The pump	La pompa	la pompa
The tool-bag	La borsa degli arnesi	la borsa deλλi arnesi
The back-pedalling brake	Il freno contropedale	il freno contropedale
The spokes	I raggi	i raddʒi

PHRASES

English	Italian	Pronunciation
I am fond of cycling	Mi piace andare in bicicletta	mi ppjatʃe andare in bitʃikletta
Is your brake in working order?	Funzionano bene i suoi freni?	fun'tsionano bɛne i swoi freni?
Yes, but the chain is a bit loose	Sì, ma la catena è un po' lenta	si, ma la katena ɛ um pɔ lɛnta
You are riding on the pavement, you will have to pay a fine	Lei corre sul marciapiede, dovrà pagare una multa	lɛi korre sul martʃapjede do'vra ppagare una multa
I shall have to push my bicycle uphill	Dovrò far la salita spingendo a mano la bicicletta	do'vro ffar la salita, spindzɛndo a mmano la bitʃikletta

English.	Italian.	Pronunciation.
I must pump up my tyres	Devo gonfiare le gomme	dɛvo goɲfjare le gomme
I have a puncture in my back tyre, and shall have to mend it	Ho la gomma di dietro bucata, e mi toccherà aggiustarla	ɔ la gomma di djɛtro bukata e mmi tokke'ra addʒustarla
Put your bicycle in the shed	Metta via la sua bicicletta nella rimessa	metta via la sua bitʃiklɛtta nella rimessa
No cycling	Proibito ai ciclisti	proibito ai tʃiklisti

THE TOWN, CITY

VOCABULARY

The town, city	La città	la tʃi'tta
The capital	La capitale	la kapitale
The suburb	Il sobborgo	il sobborgo
The market-square	La piazza del mercato	la pjattsa del mercato
The street	La via	la via
The road	La strada	la strada
The alley	Il vicolo	il vi'kolo
The main street	La strada principale	la strada printʃipale
The side street	La strada laterale	la strada laterale
The street corner	La cantonata	la kantonata
The crossing	Passaggio fra i chiodi	passaddʒo fra i kjɔdi
The roadway	La strada	la strada
The pavement	Il marciapiede	il martʃapjɛde
The gardens	I giardini	i dʒardini
The bridge	Il ponte	il ponte
The cemetery	Il cimitero	il tʃimitɛro
The building	L'edificio	l edifitʃo
The hospital	L'ospedale	l ospedale
The town hall	Il municipio	il munitʃipjo
The post office	L'ufficio postale	l uffitʃo postale

English.	Italian.	Pronunciation.
The police-station	La questura	la kwestura
The policeman	La guardia civica	la gwardja ˈtʃivika
	Il carabiniere	il karabiniɛre
The public library	La biblioteca comunale	la bibljotɛka komunale
The school	La scuola	la skwɔla
The church	La chiesa	la kjɛza
The university	L'università	l universiˈta
The cathedral	Il duomo, la cattedrale	il dwɔmo, la kattedrale
The fire station	I vigili del fuoco	i ˈvidʒili del fuɔko
The block of flats	Il palazzo	il palattso
The café	Il caffè	il kafˈfɛ
The restaurant	Il ristorante	il ristorante
The shop	Il negozio	il negɔtsio
The very small shop	La bottega	la bottega
The shop window	La vetrina	la vetrina
The pedestrian	Il pedone	il pedone
The tramcar	Il tram	il tram
The bus	L'autobus	l ˈautobus
The lorry	Il camion	il kamjon
The stopping place	La fermata	la fermata
The terminus	Il capolinea	il kapoˈlinea

PHRASES

How far is it to the High Street?	Quanto ci vuole per arrivare al corso?	kwanto tʃi vwɔle per arrivare al korso?
Which is the shortest way to the cathedral?	Qual'è la via più breve per andare al duomo?	kwal ɛ lla via pju bbrɛve per andare al dwɔmo?
Where is the post office?	Dov'è l'ufficio postale?	dov ɛ ll uffitʃo postale?
The second turning on the right	La seconda via a destra	la seconda via a ddɛstra

English.	Italian.	Pronunciation.
Don't cross the street before you see the green light	Non attraversi la strada prima di vedere il segnale verde	non attraversi la strada prima di vedere il seɲale verde
There are the traffic lights	Ecco il semaforo	ɛkko il seˈmaforo
Don't step off the pavement	Non scenda dal marciapiede	non ʃenda dal martʃapjɛde
The traffic is very heavy	La circolazione è molto intensa	la tʃirkolatsione ɛ molto intɛnsa
The streets are narrow	Le vie sono strette	le vie sono strette
Can you tell me the way to the theatre ?	Mi vuol indicare la strada per il teatro ?	mi vwɔl indikare la strada per il teatro ?
I have lost my way	Ho perso la strada	ɔ pperso la strada
Turn to the left	Prenda la sinistra	prɛnda la sinistra
Straight on	Avanti diritto	avanti diritto
Where is the main entrance to the hospital ?	Dov'è l'ingresso principale dell'ospedale ?	dov ɛ ll ingrɛsso printʃipale del ospedale ?
Where does Mr. Smith live ?	Dova abita il Signor Rossi ?	dove ˈabita il siɲɲor rossi ?
On the top floor	All'ultimo piano	al ˈultimo pjano
They have a flat on the ground floor	Hanno un appartamento al pian terreno	anno un appartamento al pjan terreno
Can I get to the station in a gondola ?	Si può andare alla stazione in gondola ?	si pwɔ andare alla statsione iɲ ˈgondola ?
Take the lift, or do you prefer the stairs ?	Prenda l'ascensore; oppure preferisce far le scale ?	prɛnda l aʃensore ; oppure preferiʃe far le skale ?
Is there an escalator in this shop ?	C'è la scala mobile in questo negozio ?	tʃ ɛ la skala ˈmobile in questo negotsio ?

English.	Italian.	Pronunciation.
You have to book a ticket	Bisogna prenotare il posto	bizoɲɲa prenotare il posto
Take your tickets from the machine	Prenda il biglietto al distributore automatico	prɛnda il biʎʎetto al distributore auto'matiko
You can also take the bus	Può anche prendere l'autobus	pwɔ aɲke 'prɛndere l 'autobus
Does this bus take me to the park ?	Quest'autobus mi conduce al parco ?	quest 'autobus mi kondutʃe al par-ko ?
Does this tram take me to the public gardens ?	Questo tram mi por-ta ai giardini pub-blici ?	questo tram mi pɔrta ai dʒar-dini 'pubblitʃi ?
The trams are crowded	I tram sono pieni	i tram sono pjɛni
We are full up. Take the next tram please	Siamo al completo. Prenda il tram che segue	sjamo al komplɛto, prɛnda il tram ke ssɛgwe
Don't push	Non spingete	non spindʒete
Fares please	Senza biglietto ?	sentsa biʎʎetto ?
Move up, please	Passare avanti, si-gnori (or else, avanti c'è posto)	passare avanti, si-ɲɲori, avanti tʃ ɛ pposto
Keep a gangway	Lasciate libero il passaggio	laʃate 'libero il pas-saddʒo
I have lost my ticket	Ho perduto il biglietto	ɔ pperduto il biʎʎetto
Don't alight when the vehicle is in motion	Non scendete prima che il tram sia fermo	non ʃendete prima ke il tram sia fermo
Sunday traffic is limited	Alla domenica la circolazione è ri-stretta	alla do'menika la tʃirkolatsione ɛ rristretta
Where do I get off ?	Dove devo scende-re ?	dove dɛvo 'ʃendere ?
No thoroughfare for vehicles	Interdetto il passag-gio ai veicoli	interdetto il pas-saddʒo ai ve'ikoli

c

English.	Italian.	Pronunciation.
Closed to pedestrians	**Vietato ai pedoni**	vietato ai pedoni
No admittance	**Vietato l'ingresso**	vietato l iŋgresso
Danger	**Chi tocca, muore**	ki tokka, mwɔre

HOTELS

VOCABULARY

The inn, guest-house	**L'albergo**	l albergo
The single room	**La camera per una persona**	la ˈkamera per una persona
The double room	**La camera a due letti**	la ˈkamera a due lɛtti
The reception desk	**La segreteria**	la segreteˈria
The lounge	**La hall**	la ɔll
The public rooms	**Le sale**	le sale
The dining-room	**La sala da pranzo**	la sala da pprantso
The writing-room	**La sala di scrittura**	la sala di skrittura
The gentlemen's cloakroom	**La toilette per uomini**	la twaˈlet per ˈwɔmini
The ladies' cloakroom	**La toilette per signore**	la twaˈlet per siɲɲore
The bell	**Il campanello**	il kampanɛllo
The page-boy, buttons	**Il ragazzo del lift**	il ragattso del lift
The chambermaid	**La cameriera**	la kamerjɛra
The boots	**Il lustrascarpe**	il lustraskarpe
The waiter	**Il cameriere**	il kamerjɛre
The head waiter	**Il maitre**	il mɛtr
The waitress	**La cameriera**	la kamerjɛra
The porter	**Il portiere**	il portjɛre
The night porter	**Il portiere di notte**	il portjɛre di nɔtte
The manager	**Il direttore**	il direttore
The proprietor	**Il proprietario**	il proprietarjo

PHRASES

English.	Italian.	Pronunciation.
At which hotel are you staying?	In che albergo siete?	iŋ ke albergo siɛte?
The service is good (bad)	Il servizio è buono / Il servizio non è buono	il servitsio ɛ bbwɔno / il servitsio non ɛ bbwɔno
What is it like at your hotel?	Come si sta al vostro albergo?	kome si sta al vɔstro albɛrgo?
It is very comfortable	Si sta molto bene	si sta molto bɛne
Can I have a single room looking over the park?	Posso avere una camera a un letto che guardi sul parco?	pɔsso avere una 'kamera a un lɛtto ke ggwardi sul parko?
Is there central heating? and hot and cold water in the rooms?	C'è il riscaldamento? e acqua calda e fredda nelle camere?	tʃ ɛ il riskaldamento? e akkwa kalda e fredda nelle 'kamere?
Here is the key of your room	Ecco la chiave della sua stanza	ɛkko la kjave della sua stantsa
The lift boy will take your luggage	Il lift porterà su i suoi bagagli	il lift porte'ra su i swɔi bagaʎʎi
Can I have breakfast in my room?	Posso avere la prima colazione in camera?	pɔsso avere la prima kolatsione iŋ 'kamera?
Where is the bar?	Dov'è il bar?	dov ɛ il bar?
Where is the bathroom please?	Dov'è il bagno per favore?	dov ɛ il baɲɲo per favore?
Please enter your name and address in the visitors' book	Per favore, scriva il nome e l'indirizzo nel libro dei viaggiatori	per favore skriva il nome e l indirittso nel libro dei vjaddʒatori
How long do you intend to stay?	Quanto tempo intende fermarsi?	kwanto tɛmpo intende fermarsi?
What are your inclusive terms?	Quali sono i vostri prezzi, pensione completa?	kwali sono i vostri prɛttsi pensjone komplɛta?

English.	Italian.	Pronunciation.
I want to lodge a complaint with the manager	Desidero fare un reclamo al direttore	de'sidero fare un reklamo al direttore
How much is bed and breakfast?	Qual'è il prezzo di una camera e prima colazione?	kwal ɛ il prɛttso di una 'kamera e pprima kolatsione?
I should like another blanket, or a quilt	Vorrei un'altra coperta o una trapunta	vorrɛi un altra koperta o una trapunta
Please give me another towel and some soap	Mi dia per favore un altro asciugamano e del sapone	mi dia per favore un altro aʃugamano e ddel sapone
Can you call me tomorrow at six o'clock?	Vorrei essere svegliato domani alle sei	vorrɛi 'essere zveʎʎato domani alle sɛi
I have ordered a room with a bath	Ho fissato una camera con bagno	ɔ ffissatɔ una 'kamera com baɲɲo.
Have you reserved a room for me?	Mi ha riservato una camera?	mi a rriservato una 'kamera?
Any letters for me?	C'è posta per me?	tʃ ɛ pposta per me?
Ring twice for the chambermaid	Suonate due volte per chiamare la cameriera	swonate due vɔlte per kjamare la kamerjɛra
Where did you put my comb and brush?	Dove mi ha messo il pettine e la spazzola?	dove mi a mmesso il pɛt'tine e lla 'spattsola?
When can you let me have my laundry?	Quando mi può far avere la mia biancheria pulita?	kwando mi ppwɔ ffar avere la mia bjaŋke'ria pulita?
LAUNDRY LIST:	La lista della biancheria:	la lista della bjaŋke'ria:
Four white shirts	Quattro camice bianche	kwattro kamitʃe bjaŋke
Three coloured shirts	Tre camice colorate	tre kamitʃe kolorate

English.	Italian.	Pronunciation.
Six stiff collars	Sei colletti inamidati da inamidare	sei kolletti inamidati da inamidare
Five soft collars	Cinque colletti flosci	tʃiŋkwe kolletti floʃi
Two vests	Due canottiere	due kannottjere
Two pairs of pants	Due mutande	due mutande
One pair of pyjamas	Un pigiama	un pidʒama
One nightdress	Una camicia da notte	una kamitʃa da nɔtte
Ten handkerchiefs	Dieci fazzoletti	dietʃi fattsoletti
Five pairs of socks	Cinque paia di calzini	tʃiŋkwe paja di kaltsini
Three pairs of stockings	Tre paia di calze	tre paja di kaltse
One slip	Una sottoveste	una sottoveste
One blouse	Una camicetta	una kamitʃetta
Linen dress	Un vestito	un vestito
Three pairs knickers	Tre paia di mutandine	tre paja di mutandine

PHRASES

I have forgotten my razor	Ho dimenticato di portare il rasoio	ɔ ddimentikatɔ di portare il rasojo
Is there a barber's shop in the hotel?	C'è il barbiere in quest'albergo ?	tʃ ɛ il barbjɛre iŋ kwest albɛrgo ?
Can you have this suit pressed ?	Mi può far stirare quest' abito ?	mi pwɔ ffar stirare kwest ˈabito ?
Let me have the bill please	Mi faccia avere il conto, per piacere	mi fattʃa avere il konto per pjatʃere
Do you like your boarding-house ?	Come vi trovate nella vostra pensione ?	kome vi trovate nella vɔstra pensjone ?

English.	Italian.	Pronunciation.
The food is good and plentiful	I pasti sono eccellenti e molto abbondanti	i pasti sono ettʃellɛnti e mmolto abbondanti
The cooking is excellent	La cucina è molto buona	la kutʃina e mmolto bwɔna
	(Si mangia molto bene)	si mandʒa molto bɛne
Can I book rooms for August?	Posso fissare ora delle camere per agosto?	pɔsso fissare ora delle 'kamere per agosto?
Sorry, we are booked up till October	Mi rincresce, ma tutte le camere sono prese fino a ottobre	mi rrinkrɛʃe, ma tutte le 'kamere sono prɛse fino a ottobre
	(Mi rincresce, ma non c'è una camera libera prima di ottobre)	mi rrinkrɛʃe, ma non tʃ ɛ una 'kamera 'libera prima di ottobre

RESTAURANTS AND MEALS

VOCABULARY

The plate	Il piatto	il pjatto
The dish	Il piatto, il piatto ovale	il pjatto, il pjatto ovale
The knife	Il coltello	il koltɛllo
The fork	La forchetta	la forketta
The spoon	Il cucchiaio	il kukkjajo
The cup	La tazza	la tattsa
The saucer	La sottocoppa	la sottokɔppa
The glass	Il bicchiere	il bikkjɛre
The teapot	La teiera	la tejɛra
The coffee-pot	La caffettiera	la kaffettjɛra
The milk jug	La brocca del latte	la brɔcca del latte
The sugar-basin	La zuccheriera	la tsukkeriɛra
The tray	Il vassoio	il vassojo

English.	Italian.	Pronunciation.
The breakfast	La prima colazione	la prima kolatsione
The lunch	La colazione	la kolatsione
The dinner	Il pranzo	il prantso
The supper	La cena	la tʃena
The bill of fare	Il menu	il meˈnu
The wine list	La lista dei vini	la lista dei vini
The course	La portata	la portata
The cold dish	Il piatto freddo	il pjatto freddo
The vegetarian dish	Il piatto vegetariano	il pjatto vedʒetaria-no
The meat dish	Il piatto di carne	il pjatto di karne
The salt	Il sale	il sale
The pepper	Il pepe	il pepe
The mustard	La senape	la ˈsɛnape
The vinegar	L'aceto	l atʃeto
The oil	L'olio	l ˈɔlio
The bread	Il pane	il pane
The roll	Il panino	il panino
The toast	Il pane tostato	il pane tostato
The butter	Il burro	il burro
The ham	Il prosciutto	il proʃutto
The bacon	La pancetta affumi-cata	la pantʃetta affu-mikata
The sausage	La salsiccia	la salsittʃa
The egg	L'uovo (pl. le uova)	l wɔvo (pl. le wɔva)
The scrambled eggs	Le uova strapazzate	le wɔva strapatt-tsate
The poached eggs	Le uova in camicia	le wɔva in kamitʃa
The hors d'œuvre	L'antipasto	l antipasto
The thick soup	La minestra	la minɛstra
The thick vegetable soup	Il minestrone	il minestrone
The clear soup	Il brodo	il brɔdo
The joint	L'arrosto	l arrɔsto
The fish	Il pesce	il peʃe
The vegetables	La verdura	la verdura
The potatoes	La patate	le patate

English.	Italian.	Pronunciation.
The sauce	La salsa	la salsa
The salad	L'insalata	l insalata
The lettuce	La lattuga	la lattuga
The pudding	Il dolce	il doltʃe
The custard	La crema	la krɛma
The dessert	La frutta	la frutta
The stewed fruit	La frutta cotta	la frutta kɔtta
The cheese	Il formaggio	il formaddʒo
The beverage	La bevanda	la bevanda
The drink	La bibita	la 'bibita
The beer	La birra	la birra
The wine	Il vino	il vino
The brandy	Il cognac	il koˈɲak
The liqueur	Il liquore	il likwore
The mineral water	L'acqua minerale	l akkwa minerale
The lemonade	La limonata	la limonata
The lemon squash	La spremuta di li-mone	la spremuta di li-mone
The coffee	Il caffè	il kafˈfɛ
The tea	Il tè	il tɛ
The cocoa	Il cacao	il kaˈkao
The black coffee	Il caffè nero	il kafˈfɛ nɛro
The white coffee	Il cappuccino	il kapputʃino
The cream	La panna	la panna
The cake	La torta	la torta
The little cakes	Le paste	le paste
The biscuits	I biscotti	i biskɔtti
The jam	La marmellata	la marmellata
The marmalade	La marmellata d'aranci	la marmellata d arantʃi

PHRASES

Waiter, a table for four persons	Cameriere, una tavola per quattro	Kamerjɛre, una 'tavola per kwattro
Please let us have the bill of fare and the wine list	Mi porti il menu e la lista dei vini	mi pɔrti il meˈnu e lla lista dei vini

English.	Italian.	Pronunciation.
Here is the menu	Ecco la lista delle vivande	ɛkko la lista delle vivande
Hors d'œuvre :	Antipasto :	antipasto :
Lobster mayonaise	Aragosta con maionese	aragɔsta con majoneze
Small pickled vegetables, little onions, gherkins, small globe artichokes	Verdure diverse sott'aceto, cipolline, cetriolini, carciofini	verdure divɛrse sottatʃeto, tʃipolline, tʃetriolini, kartʃofini
Boiled ham	Prosciutto cotto	proʃutto kɔtto
Smoked ham	Prosciutto crudo	proʃutto krudo
Salami	Salami	salami
Russian salad	Insalata russa	insalata russa
Soup (under this heading come all forms of macaroni and savoury rice)	Minestra	minɛstra
Clear soup	Minestra di brodo	minɛstra di brɔdo
Spaghetti with chicken livers	Spaghetti alla bolognese	spagetti alla bolo-ɲɲeze
Savoury rice with saffron	Risotto alla milanese	rizotto alla milan-ɛze
Fish :	Pesce :	peʃe :
Fried trout	Trota al burro	trɔta al burro
Tunny with green sauce	Tonno con salsa verde	tonno con salsa ver-de
Meat Dishes :	Piatti di carne :	pjatti di karne :
Veal cutlets cooked in marsala	Scaloppine di vitello al marsala	skaloppine di vi-tɛllo al marsala
Boiled beef with spinach	Manzo lesso con contorno di spinaci	mandzo lɛsso koŋ kontorno di spinatʃi
Roast veal	Arrosto di vitello	arrɔsto di vitɛllo

English.	Italian.	Pronunciation.
Roast chicken with mushrooms and peas	Pollo arrosto con contorno di funghi e piselli	pollo arrɔsto koŋ kontorno di fuŋgi e pizelli
Roast lamb with beans	Agnello arrosto con fagioli	aɲɲello arrɔsto kom fadʒɔli
Sweet course	Dolci	dolʃi
Zabaglione (egg custard made with marsala instead of milk)	Zabaglione	zabaλλone
Ices :	Gelati:	dʒelati :
Ice-cream bricks	Pezzi duri	pɛttsi duri
Strawberry ice	Gelato alla fragola	dʒelatɔ alla ˈfragola
Iced pudding with pistachio centre	Cassata al pistacchio	kassata al pistak-kjo
Cheeses :	Formaggi :	formaddʒi :
Bel Paese	Bel Paese	bɛl paeze
Fontina	Fontina	fontina
Gorgonzola	Gorgonzola	gorgondzɔla

PHRASES

Will you have your meal à la carte ?	Vuol mangiare alla carta ?	vwɔl mandʒare alla karta ?
I can recommend our fish : sardines, anchovies, shellfish, tunny, trout, carp, sole	Le posso raccomandare il pesce: Abbiamo sardine, acciughe, scampi, tonno, trote, carpi, sogliole	le pɔsso rakkomandare il peʃe. Abbjamo sardine, attʃuge, skampi, tonno, trɔte, karpi, ˈsɔλλole
Hare stewed in wine is our special dish today (plat du jour)	Oggi il piatto del giorno è lepre in salmi	ɔddʒi il pjatto del dʒorno ɛ llɛpre in salˈmi
Do you prefer saltwater fish to fresh-water fish ?	Preferisce i pesci di mare a quelli d'acqua dolce ?	preferiʃe i peʃi di mare a kkwelli dakkwa doltʃe ?

English.	Italian.	Pronunciation.
What have you in the way of roast meat ?	Che specie di carne arrosto avete oggi ?	ke sspɛʃe di karne arrɔsto avete ɔddʒi ?
Anything you like ; pork, beef, mutton, veal	Tutto quello che vuole ; maiale, manzo, montone, vitello	tutto kwello ke vvwɔle ; majale, mandzo, montone, vitɛllo
For poultry we have : turkey, goose and young duck	Di pollame abbiamo tacchino, oca e anitra giovane	di pollame abbjamo takkino, ɔka e ˈanitra ˈdʒovane
There is a great variety of vegetables ; spinach, cabbage, cauliflowers, in fact everything that is in season. Asparagus is over	Abbiamo una grande varietà di verdura; spinaci, cavoli, cavolfiori, insomma ciò che è di stagione. Gli asparagi sono finiti	abbjamo una grande varieˈta di verdura; spinatʃi, ˈkavoli, kavolfjori, insomma tʃɔ kke ɛ ddi stadʒone. ʎi aˈsparadʒi sono finiti
What can I order for you ?	Che cosa posso ordinare per Lei ?	ke kkɔsa pɔsso ordinare per lɛi ?
I should like a lamb cutlet with peas and carrots	Mi piacerebbe mangiare una costoletta di agnello con contorno di piselli e carote	mi pjatʃerɛbbe mandʒare una kostoletta di aɲɲello koɲ kontorno di pizɛlli e kkarɔte
Could I have some kidneys or liver with onions and cauliflower ?	Si può avere un piatto di rognoni o di fegato con cipolle e cavolfiori ?	si pwɔ avere um pjatto di roɲɲoni o ddi ˈfegato kon tʃipolle e kavolfjori ?
What have you chosen ?	Che cosa ha scelto Lei ?	ke kkɔsa a ʃelto lɛi ?
What would you like to follow ?	E dopo che cosa vuol mangiare ?	e ddopo ke kkɔsa vwɔl mandʒare ?
Are there any sweets ?	C'è un dolce ?	tʃ ɛ un doltʃe ?

English.	Italian.	Pronunciation.
You can have either an ice or chocolate pudding or apple tart	C'è il gelato, una crema di cioccolato, oppure una torta di mele	tʃ ɛ il dʒelato, una krɛma di tʃokkolato, oppure una torta di mele
There are no more strawberries with whipped cream	Le fragole con la panna montata sono finite	le ˈfragole kon la panna montata sono finite
A glass of stout	Una birra nera	una birra nera
A glass of pale ale	Una birra bionda	una birra bjonda
I can recommend this Barolo and Barbera	Posso raccomandarle il Barolo e il Barbera	pɔsso rakkomandarle il barɔlo e il barbera
How do you like this wine from the castelli romani?	Le piace questo vino dei castelli romani?	le pjatʃe kwesto vino dei kastɛlli romani?
The wine is not iced	Il vino non è ghiacciato	il vino non ɛ ggjattʃato
This wine is too rough for me. I like sweet wines (sherry, port, etc.)	Questo vino è troppo aspro per me. A me piacciono i vini dolci (vino di Xèrès e d'Oporto)	kwesto vino ɛ ttrɔppo aspro per me. A mme ˈppjattʃono i vini doltʃi (vino di ʃɛrez e d oporto)
Another glass of brandy?	Ancora un bicchierino di cognac?	aŋkora um bikkjerino di koɲɲak?
Do you take sugar and cream (milk) in your coffee?	Prende zucchero e panna (latte) nel caffè?	prɛnde ˈtsukkero e ppanna (latte) nel kafˈfe?
Have a cigarette?	Prenda una sigaretta	prɛnda una sigaretta
May I smoke a pipe?	Mi permette di fumare la pipa?	mi permette di fumare la pipa?
Where are my matches?	Dove sono i miei fiammiferi?	dove sono i mjɛi fiamˈmiferi?
Here is a lighter	Ecco un accendisigaro	ɛkko un attʃendiˈsigaro

English.	Italian.	Pronunciation.
Pass the ash-tray, please	Mi passi il posacenere, per piacere	mi passi il posa-ˈtʃenere per pja-tʃere
Let me have the bill, please	Mi dia il conto, per favore	mi dia il konto, per favore
Pay at the desk, please	Favorisca pagare alla cassa	favoriska pagare al-la kassa
Shall we have tea now?	Dobbiamo prendere il tè adesso?	dobbjamo ˈprendere il tɛ adɛsso?
The tea is too strong (weak)	Il tè è troppo forte (leggero)	il tɛ ɛ troppo forte (leddʒero)
Would you rather have toast or cake?	Cosa preferisce, del pane tostato o delle paste?	kosa preferiʃe, del pane tostato o ddelle paste?
Come and have a simple supper with us	Venga a fare una piccola cena con noi	venga a ffare una ˈpikkola tʃena kon noi
You will have to put up with pot luck!	Vi accontenterete di quello che c'è!	vi akkontenterete di kwello ke ttʃɛ!
A heavy meal does not agree with me	Un pasto pesante mi sta sullo stomaco	um pasto pesante mi sta sullo ˈstomako
You can have sandwiches, celery and radishes	Lei può avere dei sandwich, del sedano e dei ravanelli	lɛi pwɔ avere dei sandvitʃ, del ˈsedano, e dei ravanɛlli
Help yourself	Si serva da sè	si sɛrva da ssɛ
What would you like for breakfast?	Che cosa Le piacerebbe mangiare per la prima colazione?	ke kkɔsa le pjatʃerebbe mandʒare per la prima kolatsione?
May I have a plate of porridge?	Favorisca portarmi un piatto di porridge	favoriska portarmi um pjatto di pɔridʒ

English.	Italian.	Pronunciation.
I am sorry, sir, but I don't know what porridge is. There isn't any in Italy	Mi rincresce, signore, ma non so che cosa sia il " porridge ". In Italia non esiste	mi riŋkrɛʃe, siɲɲore, ma non so ke kkɔsa sia il " pɔridz " in i'talia non esiste
A boiled or fried egg with bacon and marmalade, if possible	Un uovo alla coque oppure fritto con pancetta affumicata e della marmellata d'aranci, se è possibile	un wɔvo alla kok oppure fritto kom pantʃetta affumikata e ddella marmellata d arantʃi, se ɛ ppos'sibile
A hot meal	Un pasto caldo	um pasto kaldo
A hot drink	Una bevanda calda	una bevanda kalda
The mustard sauce is very hot	La salsa di senape è forte, brucia la bocca	la salsa di 'senape ɛ fforte, brutʃa la bokka
I am thirsty	Ho sete	ɔ ssete
I am hungry	Ho appetito	ɔ appetito
I am starving	Ho fame	ɔ ffame
Here's luck !	Alla Sua salute !	alla sua salute !
He is a hearty eater	È un gran mangione	ɛ un gran mandʒone
I have no appetite	Non ho appetito	non ɔ appetito
No gratuities	Niente mance	niɛnte mantʃe

SHOPPING

VOCABULARY

The shop (little)	La bottega	la bottega
The shop (big)	Il negozio	il ne'gɔtsio
The baker's shop	La panetteria (dal panettiere)	la panette'ria (dal panettjɛre)
The confectioner's	La pasticceria (dal pasticcere)	la pastittʃe'ria (dal pastittʃere)
The butcher's	La macelleria (dal macellaio)	la matʃelle'ria (dal matʃellajo)

English.	Italian.	Pronunciation.
The fishmonger's	La pescheria (dal pescivendolo)	la peske'ria (dal peʃi'vendolo)
The grocer's	La drogheria (dal droghiere)	la droge'ria (dal drogjɛre)
The greengrocer's	Il negozio di verdura (dal verduriere)	il ne'gɔtsio di verdura (dal verduriɛre)
The stationer's	La cartoleria (dal cartolaio)	la kartole'ria (dal kartolajo)
The men's outfitter's	Il negozio di vestiti da uomo	il negɔtsio di vvestiti da wɔmo
The haberdasher's	La merceria	la mertʃe'ria
The cleaner's	La lavanderia a secco	la lavande'ria a ssekko
The dyer's	La tintoria (dal tintore)	la tinto'ria (dal tintore)
The tobacconist's	La vendita di sale e tabacchi (dal tabaccaio)	la 'vendita di sale e ttabakki (dal tabakkajo)
The chemist's	La farmacia (dal farmacista	la farma'tʃia (dal farmatʃista)
The bookseller's	La libreria (dal libraio)	la libre'ria (dal librajo)
The shop assistant	Il commesso, la commessa di negozio	il kommesso, la kommessa di ne'gɔtsio
The customer	Il cliente; la cliente	il kliɛnte, la kliɛnte
To buy	Comprare	komprare
To sell	Vendere	'vɛndere
To choose, select	Scegliere	'ʃeʎʎere
To order	Ordinare	ordinare
To cancel	Annullare	annullare
To exchange	Cambiare, scambiare	kambjare, skambjare
To deliver	Mandare a casa	mandare a kkasa
To fetch	Andare a prendere	andare a 'pprɛndere
To wrap up	Avvolgere	av'voldʒere

PHRASES

English.	Italian.	Pronunciation.
At the baker's:	**Dal panettiere:**	dal panettjɛre :
What can I do for you?	**Desidera?**	de'sidera ?
Are you being served?	**La stanno servendo?**	la stanno servɛndo ?
Is all your bread fresh?	**È fresco il vostro pane?**	ɛ ffresko il vostro pane ?
Of course it is. It is always fresh every day	**Sicuro che è fresco. È sempre fresco tutti i giorni**	sikuro ke ɛ ffresko. ɛ ssɛmpre fresko tutti i ddʒorni
Give me two long loaves, six rolls, half a pound of gressins, a teacake, a piece of plain cake and a piece of savoury pastry	**Mi dia due pani lunghi, sei panini, due etti di grissini, una ciambella, un pezzo di focaccia ed un pezzo di pizza**	mi dia due pani luŋgi, sɛi panini, due ɛtti di grissini, una tʃambɛlla, um pɛttso di fokattʃa ed um pɛttso di pittsa
At the greengrocer's:	**Dal verduriere:**	dal verdurjɛre :
At the fruiterer's:	**Dal fruttivendolo:**	dal frutti'vendolo :
Have you any eating apples, please?	**Ha delle mele da mangiar crude?**	a ddelle mele da mmandʒar krude ?
I should like three pounds of pears, please	**Mi dia un chilo e mezzo di pere, per favore**	mi dia uŋ kilo e mmɛddzo di pere, per favore
Can I have six pounds of potatoes, please?	**Mi dia tre chili di patate, per piacere?**	mi dia tre kili di patate, per pjatʃere
Could you send me some spinach, lemons and bananas?	**Potrebbe mandarmi a casa degli spinaci, dei limoni e delle banane?**	potrɛbbe mandarmi a kkasa deλλi spinatʃi, dei limoni e delle banane ?

English.	Italian.	Pronunciation.
The nuts are too dear	Le noci costano troppo	le notʃi kɔstano trɔppo
The tomatoes and radishes are cheap and quite fresh	I pomodori e i ravanelli sono a buon mercato e molto freschi	i pomodɔri e i ravanɛlli sono a bwɔn merkato e molto freski
Strawberries are out of season, madam (sir)	Le fragole sono fuori stagione, signora (signore)	le ˈfragole sono fwɔri stadʒone, siɲɲora (siɲɲore)
Have you any gooseberries or red or black currants?	Avete dell'uvaspina o del ribes?	avete dell uvaspina o ddel ribez?
Will you be having any cherries in to-morrow?	Avrete delle ciliege domani?	avrete delle tʃiljɛdge domani?
Shall I keep some for you, madam/sir	Devo tenergliene, signora/signore?	dɛvo teˈnerʎʎene, siɲɲora/siɲɲore?
At the grocer's:	Dal droghiere:	dal drogjɛre:
Half a pound of ground coffee and a quarter of a pound of tea, please	Due etti e mezzo di caffè macinato, e un etto di tè	due ɛtti e mɛddzo di kafˈfɛ matʃinato e un ɛtto di tɛ
Will you have granulated or lump sugar?	Desidera zucchero in polvere o a quadretti?	deˈsidera ˈtsukkero im ˈpolvere o a kkwadretti?
I want half a pound of cooking fat, four pounds of flour, a packet of baking-powder, and a pound of raisins	Desidero due etti e mezzo di strutto, due chili di farina, un pacchetto di lievito in polvere e mezzo chilo d'uva secca	deˈsidero due ɛtti e mmɛddzo di strutto, due kili di farina, um pakketto di ˈliɛvito im ˈpolvere e mmɛddzo kilo d uva sekka

English.	Italian.	Pronunciation.
Let me have half a pint of vinegar please	Mi dia un quarto di litro di aceto, per favore	mi dia uŋ kwarto di litro di atʃeto, per favore
Have you any tinned fruit (vegetables)?	Avete della frutta (dei legumi) in iscatola?	avete della frutta (dei legumi) in iˈskatola?
At the stores:	In un grande magazzino:	in un grande magaddzino:
There is a sale on at the stores	C'è una vendita con prezzi ribassati (in quel magazzino)	tʃ ɛ una ˈvendita kom prɛttsi ribassati (iŋ kwel magaddzino)
What sort of woollen material have you in stock?	Che specie di stoffe di lana avete in magazzino?	ke sspetʃe di stɔffe di lana avete in magaddzino?
Can you show me your latest designs in silks?	Favorisca mostrarmi gli ultimi modelli in seta	favoriska mostrarmi ʎi ˈultimi modɛlli in seta
We have a large selection	Ne abbiamo un grande assortimento	ne abbjamo un grande assortimento
Four metres of red velvet	Quattro metri di velluto rosso	kwattro mɛtri di velluto rosso
That will do	Questo andrà bene	kwesto anˈdra bɛne
A reel of black cotton	Un rocchetto di filo nero	un rokketto di filo nero
Three metres of that white elastic	Tre metri di quell'elastico bianco	tre mɛtri di kwel eˈlastiko bjaŋko
Do you stock small sewing-boxes, scissors, a thimble, darning material, tape and buttons?	Avete degli astucci da cucito, contenenti delle forbici, un ditale, cotone da rammendo, fettuccia e bottoni?	avete deʎʎi astuttʃi da kutʃito, kontenɛnti delle ˈfɔrbitʃi, un ditale, kotone da rrammendo, fettuttʃa e bbottoni?

English.	Italian.	Pronunciation.
I also want a zip-fastener	Desidero anche una chiusura-lampo	de'sidero aŋke una kjusura lampo
I want a plain blue tie and a coloured handkerchief to match	Desidero una cravatta blu in tinta unita e un fazzoletto che l'accompagni	de'sidero una kravatta blu in tinta unita e un fattsoletto ke ll akkompaɲɲi
Does this material wash well?	Questa stoffa si lava bene?	kwesta stɔffa si lava bɛne?
It does not lose colour in the wash	Non perde il colore, quando la si lava	non pɛrde il kolore kwando la ssi lava
At the cleaner's:	Dal pulitore a secco:	dal pulitore a ssekko:
I want this suit cleaned	Desidero far pulire questo abito	de'sidero far pulire kwesto 'abito
When can I call for it?	Quando devo venirlo a prendere?	kwando dɛvo venirlo a 'pprɛndere?
Can this coat be dyed brown?	Questa giacca si può far tingere color marrone?	kwesta djakka si pwɔ far 'tindʒere ko'lor marrone?
Do you do invisible mending?	Fate rammendature invisibili?	fate rammendature invi'zibili?
At the chemist's:	Dal farmacista	dal farmatʃista:
Have you a safety-razor and some blades?	Avete un rasoio di sicurezza e delle lamette?	avete un rasojo di sikurettsa e ddelle lamette?
I want a shaving-brush and a stick of shaving-soap	Desidero un pennello e del sapone da barba	de'sidero un pennɛllo e ddel sapone da bbarba
How much will that be altogether?	Quanto costa in tutto?	kwanto kɔsta in tutto?

English.	Italian.	Pronunciation.
I want a tube of toothpaste and a toothbrush	Desidero un tubetto di pasta dentifricia e uno spazzolino per i denti	de'sidero un tubetto di pasta dentifriʃa e uno spattsolino per i dɛnti
Have you anything for headaches ?	Ha qualche rimedio contro il mal di testa ?	a kkwalke rimɛdjo kontro il mal di tɛsta ?
Can you recommend a gargle ?	Mi può suggerire un buon liquido per gargarismi ?	mi pwɔ ssuddʒerire um bwɔn 'likwido per gargarizmi ?
A bottle of peroxide and some adhesive plaster, please	Una bottiglia di acqua ossigenata e del cerotto adesivo, per piacere	una bottiʎʎa di akkwa ossidʒenata e del tʃerɔtto adesivo, per pjatʃere
A box of cough lozenges	Una scatoletta di pastiglie per la tosse	una skatoletta di pastiʎʎe per la tosse
A big packet of cotton-wool, please	Un grosso pacchetto di cotone idrofilo, per piacere	un grɔsso pakketto di kotone i'drɔfilo, per pjatʃere
Please have this prescription made up for me	Favorisca prepararmi questa ricetta	favoriska prepararmi kwesta ritʃetta
I want a good tonic	Desidero un buon ricostituente	de'sidero um bwɔn rikostituɛnte
At the tobacconist's :	Dal tabaccaio	dal tabakkajo :
Can you recommend a mild cigar ?	Può suggerirmi un sigaro non troppo forte ?	pwɔ ssuddʒerirmi un 'sigaro non trɔppo fɔrte ?
What brands of cigarettes do you stock ?	Che marche di sigarette tenete in negozio ?	ke mmarke di sigarette tenete in negɔtsjo ?

English.	Italian.	Pronunciation.
Have you any flints (wicks, petrol) for my lighter?	Avete delle pietrine (stoppini, benzina) per il mio accendisigaro?	avete delle pietrine (stoppini, bendzina) per il mio attʃendiˈsigaro?
Sorry, we are sold out of everything	Mi rincresce, ma abbiamo venduto tutto	mi riŋkreʃe ma abbjamo venduto tutto
Don't touch goods displayed on the counter	Si prega di non toccare la merce esposta sul banco	si prega di non tokkare la mɛrtʃe esposta sul baŋko
Can you change a thousand-lira note?	Mi può cambiare un biglietto da mille lire?	mi pwɔ kkambjare um biʎʎetto da mmille lire?
Can you give me change for five hundred lire?	Mi può dare degli spiccioli per cinquecento lire?	mi pwɔ ddare deʎʎi ˈspittʃoli per tʃiŋkwetʃɛnto lire?
Will you please send these things to my flat?	Vuol farmi mandare tutto questo a casa?	vwɔl farmi mandare tutto kwesto a kkasa?
Our delivery-man calls in your neighbourhood to-morrow	Il nostro furgoncino deve far le consegne nel suo quartiere domani	il nɔstro furgontʃino dɛve far le konseɲɲe nel suo kwartjɛre, domani

POST OFFICE
VOCABULARY

The letter-box	La buca postale	la buka postale
The letter	La lettera	la ˈlɛttera
The postcard	La cartolina postale	la kartolina postale
The printed matter	Lo stampato	lo stampato
The registered letter	La lettera raccomandata	la ˈlɛttera rakkomandata
The express letter	L'espresso	l espresso
The telegram	Il telegramma	il telegramma
The parcel	Il pacco	il pakko

English.	Italian.	Pronunciation.
The address	L'indirizzo	l indirittso
The addressee	Il destinatario	il destina'tario
The sender	Il mittente	il mittɛnte
The counter	Lo sportello	lo sportɛllo
The post-office official	L'impiegato postale	limpjegato postale
The postman	Il postino, il porta-lettere	il postino, il porta-'lɛttere
The fee	La tassa	la tassa
Post-free	Franco di porto	fraŋko di pɔrto
The postage	Il porto, l'affranca-tura	il pɔrto, l affraŋ-katura
The stamp	Il francobollo	il fraŋkobollo
The wrapper	La fascia, la fascetta	la faʃa, la faʃetta
The sample	Il campione	il kampjone
Poste restante	Fermo in posta	fɛrmo in pɔsta

PHRASES

Has the postman been?	E già stato il po-stino?	ɛ ddʒa sstato il po-stino?
	E già venuta la pos-ta?	ɛ ddja vvenuta la pɔsta?
Letters are de-livered three times a day	Si distribuisce la posta tre volte al giorno	si distribwiʃe la pɔsta tre vɔlte al dʒorno
He delivered two letters and a postcard this morning	Ha portato due let-tere e una carto-lina questa mat-tina	a pportato due 'lɛttere e una kartolina kwesta mattina
Take this letter to the nearest pil-lar-box	M'imposti questa lettera nella buca più vicina	m imposti kwesta 'lɛttera nella buka pju vvi-tʃina
The next collection is at six	La prima levata è alle sei	la prima levata ɛ alle sɛi
You must pay ex-cess postage	Lei deve pagare la soprattassa	lɛi dɛve pagare la soprattassa

English.	Italian.	Pronunciation.
Return to sender, address not known	Rimandare al mittente, indirizzo sconosciuto	rimandare al mittente, indirittso skonoʃuto
Please forward	Si prega di far seguire	si prɛga di far segwire
What is the postage for an airmail letter to England?	Che francobolli ci vogliono per mandare una lettera in Inghilterra, via aerea?	ke ffrankobolli tʃi ˈvɔλλono per mandare una ˈlɛttera in iŋgilterra, via aˈɛrea?
Where can I enquire for poste-restante letters?	Dove posso chiedere per ritirare delle lettere ferme in posta?	dove pɔsso ˈkjɛdere per ritirare delle ˈlɛttere fɛrme im pɔsta?
Where do I get postage stamps?	Dove posso comprare dei francobolli?	dove pɔsso komprare dei fraŋkobolli?
Three stamps for abroad, please	Tre francobolli per l'estero, per piacere	tre frankobolli per l ˈɛstero, per pjatʃere
Three letter-cards	Tre cartoline-lettere	tre kartoline-ˈlɛttere
Please send me this book, cash on delivery	Favorisca mandarmi questo libro, pagamento alla consegna	favoriska mandarmi kwesto libro, pagamento alla konsɛɲɲa
Can I register this letter?	Posso far raccomandare questa lettera?	pɔsso far rakkomandare kwesta ˈlɛttera?
Do you want to register this parcel?	Desidera far raccomandare questo pacco?	deˈsidera far rakkomandare kwesto pakko?
You must complete the special form that has to accompany the parcel	Lei deve completare il modulo speciale che si manda insieme al pacco	lɛi dɛve kompletare il ˈmɔdulo spetʃale ke ssi manda insieme al pakko

English.	Italian.	Pronunciation.
Please let me have an international money-order form	Mi dia, per favore, un modulo per spedire un vaglia all'estero	mi dia per favore um ˈmɔdulo per spedire un vaʎʎa all ˈɛstero
You have not completed it properly	Lei non l'ha completato bene	lɛi non la kompletato bɛne
You must seal a registered parcel	Bisogna sigillare un pacco raccomandato con la ceralacca	bizoɲɲa sidʒillare um pakko rakkomandato con la tʃɛralakka
I want to send a telegram	Desidero mandare un telegramma	deˈsidero mandare un telegramma
Don't forget the name and address of sender	Non si dimentichi di scrivere il nome e l'indirizzo del mittente	non si diˈmɛntiki di ˈskrivere il nome e ll indirittso del mittɛnte
If it cannot be delivered, it will be returned	Nel caso in cui non sarà possibile recapitarlo al destinatario, sarà rimandato al mittente	nel cazo in kui non saˈra posˈsibile recapitarlo al destinatarjo, saˈra rimandato al mittɛnte
A telegram with pre-paid reply	Un telegramma a risposta pagata	un telegramma a rrisposta pagata
What is the telegram rate to England?	Qual è la tariffa telegrafica per l'Inghilterra?	kwal ɛ la tariffa teleˈgrafika per l iŋgiltɛrra?
Does the prefix count as a word?	Il prefisso conta come una parola?	il prefisso konta come una parɔla?

TELEPHONE

VOCABULARY

The telephone	Il telefono	il teˈlɛfono
The public telephone	La cabina telefonica	la kabina teleˈfonika
The receiver	Il ricevitore	il ritʃevitore

English.	Italian.	Pronunciation.
The rest	L'appoggio per il ricevitore	l appɔddʒo per il ritʃevitore
The exchange	Il centralino	il tʃentralino
The automatic exchange	Il centralino automatico	il tʃentralino auto-'matiko
The extension	La linea supplementare	la 'linea supplementare
The operator	La centralinista	la tʃentralinista
The subscriber	L'abbonato	l abbonato
The directory	L'elenco telefonico	l elɛŋko tele'fɔniko
The call	La chiamata, la telefonata	la kjamata, la telefonata
The night-call	La telefonata notturna	la telefonata notturna
The local call	La telefonata locale	la telefonata lokale
The trunk call	La telefonata interurbana	la telefonata interurbana
The connection	La comunicazione	la komunikatsione
Engaged	Linea occupata	'linea okkupata
To connect	Mettere in comunicazione	'mettere in komunikatsione
To dial	Comporre il numero	komporre il 'numero
To ring up, phone	Telefonare a	telefonare a

PHRASES

Are you on the phone ?	Avete il telefono in casa ?	avete il te'lɛfono iŋ kasa ?
Please give me a ring to-morrow	Mi telefoni domani sera, per favore	mi te'lɛfoni domani sera, per favore
How do I dial ?	Come si fa a comporre il numero ?	kome si fa a kkomporre il 'numero
Lift the receiver	Alzi il ricevitore	altsi il ricʃevitore
Then dial the number required	Poi componga il numero che desidera	pɔi kompoŋga il 'numero ke dde-'sidera

English.	Italian.	Pronunciation.
Number please?	Che numero desidera?	ke 'nnumero de'sidera?
Please give me . . .	Per favore mi dia . . .	per favore mi dia . . .
Number engaged	Numero occupato	'numero okkupato
Put the receiver on the rest and repeat the call	Rimetta il ricevitore, e componga nuovamente il numero	rimetta il ritʃevitore e kkomponga nwovamente il 'numero
I can't get through	Non posso ottenere la comunicazione	nom pɔsso ottenere la komunikatsione
Enquiries, please	Mi dia informazioni	mi dia informatsioni
Can you give me the number of Signor Bordone, 6 Piazza Repubblica?	Mi può dare il numero del Signor Bordone, Piazza Repubblica 6?	mi pwɔ ddare il 'numero del siɲɲor bordone, pjattsa re'pubblika, sɛi
Can you connect me with 2846?	Mi può mettere in comunicazione col numero 2846?	mi pwɔ 'mettere iŋ komunikatsione col 'numero due ɔtto kwattro sɛi
There is no reply	Non rispondono	non ri'spondono
Is that the Travel Bureau?	Parlo con l'Agenzia dei Viaggi?	parlo con la dʒen'tsia dei viaddʒi?
Extension 4, please	Linea supplementare 4, per favore	'linea supplementare kwattro, per favore
Just a minute please	Un momento, per favore	un momento, per favore
Hold the line	Tenga la comunicazione	tɛŋga la komunikatsione
What is your number?	Che numero ha Lei?	ke 'nnumero a lɛi?
Sorry, wrong number	Scusi, numero sbagliato	skusi, 'numero zbaλλato

English.	Italian.	Pronunciation.
Sorry, we were cut off	Ci hanno tagliato la comunicazione	tʃi anno taʎʎato la komunikatsione
The telephone is out of order	C'è un guasto al telefono	tʃ ɛ uŋ gwasto al te'lɛfono
You are through	Comunicazione pronta	komunicatsione pronta
Telegrams, please	Mi dia telegrammi	mia dia telegrammi
Where is there a public call-office?	Dove c'è una cabina telefonica?	dove tʃ ɛ una kabina tele'fɔnika?
Please insert the coin, when the operator tells you to do so	Introduca il gettone nella fessura, quando ve lo dirà la centralinista	introduka il dʒettone nella fessura, kwando ve lo di'ra la tʃentralinista
Trunk call, please	Interurbane, per favore	interurbane, per favore
Can I speak to Mr. White?	Posso parlare col Signor Bianchi?	pɔsso parlare col siɲɲor bjaŋki?
Will you please give him a message?	Vuol dirgli una cosa da parte mia, per favore?	vwol dirʎi una kɔsa da pparte mia, per favore?
You are wanted on the phone	Lei è chiamato al telefono	lɛi ɛ kkjamato al te'lɛfono
We can make an appointment by telephone	Possiamo darci appuntamento per telefono	possjamo dartʃi appuntamento per te'lɛfono

CORRESPONDENCE

VOCABULARY

The letter	La lettera	la 'lɛttera
The business letter	La lettera d'affari	la 'lɛttera d affari
The letter of congratulations	La lettera di congratulazioni	la 'lɛttera di koŋgratulatsioni
The letter of condolence	La lettera di condoglianze	la 'lɛttera di kondoʎʎantse
The postcard	La cartolina	la kartolina

English.	Italian.	Pronunciation.
The picture post-card	La cartolina illustrata	la kartolina illustrata
The letter-card	La cartolina lettera	la kartolina ˈlɛttera
The handwriting	La calligrafia	la kalligraˈfia
The pen, nib	La penna, il pennino	la penna, il pennino
The pen-holder	La cannuccia	la kannuttʃa
The fountain-pen	La penna stilografica	la penna stiloˈgrafika
The pencil	La matita	la matita
The biro	La penna biro	la penna biro
The copying-ink pencil	La matita copiativa	la matita kopjativa
The coloured pencil	La matita colorata	la matita kolorata
The rubber	La gomma	la gomma
The gum, glue	La gomma, la colla	la gomma, la kɔlla
The letter-file	Il raccoglitore	il rakkogʎitore
The card-index	La rubrica commerciale	la ˈrubrika kommertʃale
The paper	La carta	la karta
The writing-paper	La carta da lettera	la karta da ˈllɛttera
The envelope	La busta	la busta
The writing-pad	Il blocco di carta da lettera	il blɔkko di karta da ˈllɛttera
The blotting-paper	La carta assorbente	la karta assorbɛnte
The blotting-pad	Il tampone	il tampone
The ink	L'inchiostro	l iŋkjɔstro
The inkstand	Il calamaio	il kalamajo
The sealing wax	La ceralacca	la tʃeralakka
The stationer's shop	La cartoleria	la kartoleˈria
The writing-desk	La scrivania	la skrivaˈnia
The shorthand	La stenografia	la stenograˈfia
The typewriter	La macchina da scrivere	la ˈmakkina da ˈsskrivere
The carbon paper	La carta carbone	la karta karbone

English.	Italian.	Pronunciation.
The sender	Il mittente	il mittɛnte
The addressee	Il destinatario	il destinatarjo
The address	L'indirizzo	l indirittso
The heading	L'intestatura	l intestatura
The signature	La firma	la firma
The clerk	L'impiegato	l impjegato
The typist	La dattilografa	la datti'lografa
The book-keeper	Il contabile	il kon'tabile
The partner	Il socio	il sɔtʃo
The owner	Il proprietario	il proprjetarjo
To write	Scrivere	'skrivere
To copy	Copiare	kopjare
To answer	Rispondere a . . .	ris'pondere a . . .
To stick	Ingommare	iŋgommare
To seal	Sigillare	siddʒillare
To send	Mandare, spedire	mandare, spedire

PHRASES

Where is the writing-room?	Dov'è la sala di scrittura?	dov ɛ lla sala di skrittura?
There are envelopes and writing-paper on the writing-desk	Troverà della carta da lettera e delle buste sulla scrivania	trove'ra della karta da 'lɛttera e ddele buste sulla skriva'nia
I have to write an urgent letter	Devo scrivere una lettera urgente	dɛvo 'skrivere una 'lɛttera urdʒɛnte
Shall I type it?	Devo scriverla a macchina?	dɛvo 'skriverla a 'mmakkina
I am expecting important news	Attendo delle notizie importanti	attɛndo delle no-titsje importanti
I have to answer some letters	Devo rispondere a qualche lettera	dɛvo ri'spondere a kkwalke 'lɛttera
There is no ink in the inkstand	Non c'è inchiostro nel calamaio	non tʃ ɛ iŋkjɔstro nel kalamajo
Take my fountain-pen	Prenda la mia penna stilografica	prɛnda la mia pen-na stilo'grafika

English.	Italian.	Pronunciation.
My fountain-pen is broken	Ho rotto la penna stilografica	ɔ rrotto la penna stiloˈgrafika
Where can I get it repaired?	Dove posso farla riparare?	dove pɔsso farla riparare
He writes a very clear hand	Ha una calligrafia molto chiara	a una kalligraˈfia molto kjara
Take this letter down in shorthand	Stenografi questa lettera	steˈnografi kwesta ˈlɛttera
Make two carbon copies of it	Ne faccia due copie a carbone	ne fattʃa due kɔpje a kkarbone
Get the letter done quickly	Faccia presto a finire la lettera	fattʃa prɛsto a ffinire la ˈlɛttera
We must catch the evening post	Bisogna che parta stasera	bizoɲɲna ke pparta stassera
Have you filed the letters?	Ha archiviato le lettere?	a arkivjato le ˈlɛttere?
You have not answered my letter	Non ha risposto alla mia lettera	non a rrisposto alla mia ˈlɛttera
I told you all about it in my letter	Le ho raccontato tutto nella mia lettera	le ɔ rrakkontato tutto nella mia ˈlɛttera
I had great pleasure in reading your letter	Mi ha fatto molto piacere leggere la sua lettera	mi a ffatto molto pjatʃere ˈlɛddʒere la sua ˈlɛttera
My sincere congratulations	Le faccio le mie felicitazioni	le fattʃo le mie felitʃitatsioni
Many happy returns of the day	Cento di questi giorni	tʃɛnto di kwesti dʒorni
I was very pleased to receive the news of your engagement (marriage)	Sono stato molto felice di ricevere la notizia del suo fidanzamento (matrimonio)	sono stato molto felitʃe di riˈtʃevere la nɔtitsia del suo fidantsamento (matrimɔnjo)
My sincere condolences	Le mie sincere condoglianze	le mie sintʃere kondɔʎʎantse

English.	Italian.	Pronunciation.
Please accept my deep sympathy	Voglia accettare le mie più sincere condoglianze	vɔλλa attʃettare le mie pju ssintʃεre kondoλλantse
In reply to your favour . . .	Rispondendo alla sua pregiata . . .	rispondεndo alla sua predʒata
I have received your letter of June 6th	Ho ricevuto la sua lettera del 6 giugno	ɔ ritʃevuto la sua ˈlεttera del sεi dʒuɲo
In receipt of your favour . . .	Ricevuta la vostra pregiata . . .	ritʃevuta la vostra predʒata . . .
I beg to inform you that—	Ho l'onore d'informarla—	ɔ ll onore d informarla—
I herewith acknowledge the receipt of your favour	Con questa mia, accuso ricevuta della sua pregiata	coɲ kwesta mia akkuso ritʃevuta della sua predʒata
My dear father	Mio caro padre	mio karo padre
Dearest Margaret	Carissima Margherita	kaˈrissima margerita
Dear Professor (Doctor, Captain)	Caro Professore (dottore, capitano)	karo professore (dottore, kapitano)
Dear Madam	Gentile Signora	dʒentile siɲɲora
Dear Mr. Brown	Egregio Signore	egrεdʒo siɲɲore
Dear Mrs. Smith	Gentile Signora	dʒentile siɲɲora
Messrs. John Miller & Co., Ltd., Manchester	Spettabile Ditta Mario Rossi e Compagnia, Parma	spetˈtabile ditta Mario Rossi e kkompaɲˈɲia, Parma
Gentlemen/Dear Sirs	Signori	siɲɲori
Yours faithfully	Distinti saluti	distinti saluti
Yours sincerely	Sinceri e cordiali saluti	sintʃεri e kkordiali saluti
With respectful greetings	Rispettosi saluti	rispettosi saluti
With kind regards from	Ossequi da parte di	ossεkwi da pparte di

English.	Italian.	Pronunciation.
With all good wishes	Tanti saluti e auguri	tanti saluti e auguri
Yours affectionately, Robert	Affezionatissimo Roberto	affetsiona'tissimo roberto
Your affectionate son	Sono il vostro affezionatissimo figlio	sono il vostro affetsiona'tissimo fiλλo
Much love from Joan	Tante care cose dalla vostra Giovanna	tante kare kɔse dalla vostra dʒovanna
A personal letter :	Una lettera personale:	una 'lettera personale :
Turin, 4th May, '53	Torino, 4 maggio, 1953	Torino, kwattro maddʒo, 1953

Dear Mrs. Smith,
    Thank you very much for your kind invitation to dinner. Unfortunately we shall be away next weekend, and so are unable to accept. I shall hope to see you again when we come back. Thank you again very much for asking us.
    Yours sincerely,
    Jane Ashley.

Gentile Signora,
    La ringrazio sentitamente del Suo cortese invito a pranzo. Sfortunatamente saremo assenti da Torino alla fine della settimana, e quindi non ci sarà possibile accettare. Spero di tutto cuore di poterla rivedere al nostro ritorno. Nuovamente ringraziando Le porgo i nostri più cordiali e sinceri saluti.
    Marta Colombo.

dʒentile siɲɲora,
    la riŋgratsio sentitamente del suo korteze invito a pprantso. Sfortunatamente saremo assenti da ttorino alla fine della settimana e kkwindi non tʃi sa'ra pps'sibile attʃettare. Spero di tutto kwɔre di poterla rivedere al nɔstro ritorno. Nwɔvamente ringratsiando le pɔrgo i nɔstri pju kkordjali e ssintʃeri saluti.
    Marta Kolombo.

English.	Italian.	Pronunciation.
A short business letter :	Una breve lettera commerciale:	una brɛve 'lɛttera kommertʃale :
The Red House, Woodborough, (Wilts.). 30th May, 1953.	Ditta Marmi e Petrini, Corso Solferino 3–5, Piacenza.	ditta marmi e ppetrini, korso solferino 3–5, pjatʃɛntza.
Messrs. Marble & Stone, High Street, Marlborough.		

Dear Sirs, I have to inform you that the bath delivered yesterday from your factory is not the size we decided on. Please send one of your workmen as soon as possible to remove it. I trust that in the same van you will be able to send me a bath of the correct dimensions, as measured by your representative last week. Yours truly, Arthur Roberts.	Spettabile Ditta, Vi devo informare che la vasca da bagno arrivatami ieri dalla vostra fabbrica non è delle dimensioni specificate. Vi prego quindi di mandare qualcuno dei vostri operai a rimuoverla. Quanto prima mi auguro che nel medesimo furgone mi potrete mandare una vasca delle giuste dimensioni, secondo le misure prese dal vostro rappresentante la settimana scorsa. Distinti saluti, Armando Roberti. Castagneto, 30 maggio, 1953.	spet'tabile ditta, vi dɛvo informare ke lla vaska da bbaɲɲo arri'vatami jɛri dalla vɔstra 'fabbrika non ɛ delle dimensjoni spetʃifikate. vi prɛgo kwindi di mandare kwalkuno dei vɔstri ope'rai a rri'muoverla. kwanto prima mi 'auguro ke nnel me'dezimo furgone mi potrete mandare una vaska delle dʒuste dimensioni sekondo le mizure prese dal vɔstro rapprezentante la settimana skorsa. distinti saluti, armando robɛrti. kastaɲɲeto, 30 maddʒo, 1953.

D

English.	Italian.	Pronunciation.
A business letter :	Una lettera commerciale:	una ˈlɛttera kommertʃale :
Messrs. Bordone & Carozzi, Como.	Ditta Bordone e Carozzi, Como.	ditta bordone e karottsi, Komo.

Dear Sirs,

I have pleasure in sending you enclosed invoice for five hundred best quality woollen blankets bought for your account, and to be despatched by rail on the 27th inst.

The colours you specified were in stock, and I hope you will be pleased with the goods, as the wool is of the best quality and the blankets are thick and fleecy. The manufacturers guarantee that the colours will not fade.

You will note from the invoice that I have been able to obtain a special cash discount of five per cent., making the total amount

Spettabile Ditta,

allegata alla presente abbiamo il piacere di accludervi fattura per cinquecento coperte di lana della migliore qualità da voi acquistate che verranno spedite per ferrovia il giorno 27 corrente.

I colori da voi specificati erano in magazzino e spero resterete soddisfatti della merce, dato che la lana è della migliore qualità e che le coperte stesse sono pesanti e morbide. I fabbricanti garantiscono che i colori non sbiadiranno.

Vedrete dalla fattura che abbiamo potuto ottenere lo speciale sconto del 5%. L'ammontare totale è di sterline mille (1000) di cui

spetˈtabile ditta,

allegata alla prezente abbiamo il pjatʃere di akˈkludervi fattura per tʃiŋkwetʃento koperte di lana della miλλore kwaliˈta da vvoi akkwistate ke vverranno spedite per ferroˈvia il dgorno 27 korrente.

i colori da vvoi spetʃifikati ˈerano im magattsino e sspero resterete soddisfatti della mertʃe, dato kke lla lana ε della miλλore kwaliˈta e kke le koperte stesse sono pezanti e ˈmmorbide. i fabbrikanti garanˈtiskono ke i kolori non zbjadiranno.

vedrete dalla fattura ke abbjamo potuto ottenere lo spetʃale skonto del tʃiŋkwe per tʃento, l ammontare totale

English.	Italian.	Pronunciation.
£1000, for which please send me your remittance.	restiamo in attesa di rimessa.	ɛ di sterline mille di kui restjamo in attɛza di rimessa.
I remain with compliments.	Ringraziandovi, ben distintamente vi salutiamo.	ringra'tsiandovi, ben distintamete vi salutjamo.
Yours faithfully,		

Addresses on enve-lopes :	Indirizzi per le bu-ste:	indirittsi per le bu-ste :
G. B. Smith, Esq., 45 Oxford Street, London, W.1.	Signor G. B. Fabbri, Corso Garibaldi 45, Torino.	siɲ'ɲor gi bi fabbri, korso garibaldi kwaranta-ʃiŋkwe, torino.

Professor W. Roberts, c/o L. Black, Esq., 5 Broad Street, Kingswood, (Surrey).	Al chiarissimo Pro-fessor Ignazio Bontemponi, presso il Signor L. Neri, Villa Flora, Masnago, (Prov. di Varese).	al kja'rissimo pro-fes'sor iɲɲatsio bontemponi, presso il siɲ'ɲor elle neri, villa flora, maznago, (provintʃa di va-reze).

Please forward	Si prega di far se-quire	si prega di far se-gwire
Messrs. K. M. Brown & Co., 72 Westbourne Grove, London, W.11.	Spettabile Ditta G. M. Casta-gnetta e Figli, Via Cavour 72, Bologna.	spet'tabile ditta gi emme kasta-ɲɲetta e ffiλλi, via ka'vur settan-tadue, boloɲɲa.

BANKING

VOCABULARY

English.	Italian.	Pronunciation.
The bank	La banca	la baŋka
The account	Il conto	il konto
The deposit account	Il conto depositato	il konto depositato
The current account	Il conto corrente	il konto korrente
The cheque	L'assegno	l asseɲɲo
The crossed cheque	L'assegno barrato	l asseɲɲo barrato
The bearer	Il portatore, il latore	il portatore, il latore
The bank manager	Il direttore della banca	il direttore della baŋka
The cashier	Il cassiere	il kassjɛre
The stockbroker	L'agente di cambio	l adʒente di kambjo
The money market	La borsa valori	la borsa valori
The bill of exchange	La cambiale	la kambjale
The I.O.U.	Il riconoscimento di un debito	il rikonoʃimento di un ˈdebito
The Exchange	La Borsa	la borsa
The share	L'azione	l atsione
The share-holder	L'azionista	l atsionista
The security	La garanzia	la garanˈtsia
The bonds	Le obbligazioni	le obbligatsioni
The interest	L'interesse	l interɛsse
The profit	Il profitto	il profitto
The net profit	Il profitto netto	il profitto netto
The loss	La perdita	la ˈpɛrdita
The advance	L'anticipo	l anˈtitʃipo
The debtor	Il debitore	il debitore
The creditor	Il creditore	il kreditore
To cash a cheque	Riscuotere un assegno	risˈkwɔtere un asseɲɲo

English.	Italian.	Pronunciation.
To make out a cheque	Emettere un assegno	e'mettere un asseɲɲo
To sign	Firmare	firmare
To endorse	Firmare (sul dorso)	firmare (sul dɔrso)
To overdraw	Uscire dal conto	uʃire dal konto
To open (close) an account	Aprire (chiudere) un conto	aprire ('kwudere) uŋ konto
To pay by cheque	Pagare con un assegno	pagare kon un asseɲɲo
To borrow	Prendere in prestito	'prɛndere im 'prɛstito
To lend	Imprestare, dare in prestito	imprestare, dare im 'prɛstito

PHRASES

Have you a banking account ?	Ha un conto aperto in banca ?	a un konto apɛrto in baŋka ?
I should like to pay this into my account	Desidero mettere questo sul mio conto	de'sidero 'mettere kwesto sul mio konto
Can I deposit securities and valuables here ?	Posso depositare qui dei valori o degli oggetti di valore ?	pɔsso depositare kwi dei valori o degli oddʒetti di valore ?
Can you let me have my statement of account	Mi può far avere i saldi ?	mi pwɔ far avere i saldi ?
What is my balance ?	Com'è il mio saldo ?	kom ɛ il mio saldo ?
You have overdrawn your account	Lei è uscito dal conto	lɛi ɛ uʃito dal konto
I cannot grant you any credit	Non Le posso far credito	non le pɔsso far 'kredito
I should like to cash this cheque	Desidero riscuotere questo assegno	de'sidero ri'skwɔtere kwesto asseɲɲo

English.	Italian.	Pronunciation.
You have forgotten your signature	Ha dimenticato di firmare	a ddimentikato di firmare
Please let me have some notes and silver	Per favore, mi dia dei biglietti di banca e degli spiccioli	per favore, mi dia dei biλλetti di baŋka e ddeλλi 'spittʃoli
Please pay my current bills	Per favore, guardi di regolare i miei conti	per favore, gwardi di regolare i mjɛi konti
Has this bill of exchange been borrowed ?	Questa cambiale è stata pagata ?	kwesta kambjale ɛ sstata pagata ?
When was this bill of exchange due ?	Quando è scaduta questa cambiale ?	kwando ɛ sskaduta kwesta kambjale ?
You get a discount if you meet the bill before it is due	Lei riceverà uno sconto se farà fronte alla cambiale prima che scada	lɛi ritʃeve'ra uno skonto se ffa'ra fronte alla kambjale prima ke sskada
We only sell for cash	Vendiamo solamente per contanti	vendjamo solamente per kontanti
Does the bank pay interest ?	La banca paga interessi ?	la baŋka paga ɪnterɛssi ?
Only on deposit accounts	Solamente su conti depositi	solamente su kkonti depositi
Which shares pay a high rate of interest ?	Quali azioni pagano un alto interesse ?	kwali atsionɪ 'pagano un alto interɛsse ?
I do not speculate in industrial shares	Non speculo in azioni industriali	non 'spɛkulo in atsioni industriali
Do you deposit your money in a savings-bank ?	Deposita il suo denaro alla cassa di risparmio ?	depɔzita il suo denaro alla kassa di risparmjo ?

English.	Italian.	Pronunciation.
I invest my money in real estate	Io metto i miei denari in beni immobili	io metto i mjɛi denari im bɛni imˈmɔbili
Please buy some shipping shares for me	Mi compri, per favore, delle azioni di navigazione	mi kompri per favore delle atsioni di navigatsione
The Stock Exchange is dull	La Borsa è inattiva	la borsa ɛ inattiva
Shares are looking up	I titoli vanno su, (salgono)	i ˈtitoli vanno su (ˈsalgono)
There was a lively turn-over in the market	C'è stato un vivo rialzo in Borsa	tʃ ɛ sstato un vivo rialtso im borsa
Bonds are rising (falling)	I valori salgono, (scendono)	i valori ˈsalgono, ˈʃendono
Have you any gilt-edged securities ?	Ha dei titoli assolutamente sicuri ?	a ddei ˈtitoli assolutamente sikuri ?
I have some government loans	Ho dei prestiti governativi	ɔ ddei prɛstiti governativi
I must sell my shares to settle with my creditors	Devo vendere i miei titoli per pagare i miei creditori	dɛvo ˈvendere i mjɛi ˈtitoli per pagare i mjɛi kreditori
The firm is bankrupt	La ditta è in fallimento	la ditta ɛ in fallimento
The debts exceed the assets	Il passivo eccede l'attivo	il passivo ettʃɛde l attivo
He is a trustworthy business man	È un uomo d' affari degno di fiducia	ɛ un wɔmo d affari deɲɲo di fidutʃa
He is in arrears with his interest	È indietro nel pagamento degli interessi	ɛ indjɛtro nel pagamento deʎʎi intɛrɛssi
The cheque is payable to bearer	L'assegno è pagabile al latore	l assɛɲɲo ɛ ppaˈgabile al latore
I.O.U. : London, 10th Jan., 1953.	Riconoscimento di un debito: Io, il sottoscritto A. Verdi, riconosco	rikonoʃimento di un ˈdebito : io il sottoscritto a. verdi, rikonosko

English.	Italian.	Pronunciation.
Mr. A. Green.	di dovere a F. G.	di dovere a effe dʒi
I.O.U. £100.	Neri la somma di	nɛri la somma di
F. G. Black.	200,000 lire.	duetʃɛnto mila lire.
	Scritto a Londra,	skritto a llondra
	il 10 gennaio 1953.	il djɛtʃi dʒennajo
	Buono per la som-	millenovetʃɛnto-
	ma di 200,000 lire.	tʃiŋkwanta tre
	A. Verdi.	bwɔno per la som-
		ma di duetʃɛnto
		mila lire.
		a verdi.
Bill of Exchange :	Cambiale:	kambjale :
Bristol.	al Signor Paul	al siŋnor pol
15th August,	Miller,	miller,
1953.	Londra,	londra.
	15 agosto,	ˈkwinditʃi agosto.
	1953.	
£250.		
Three months	Tre mesi dopo	tre mesi dopo
after date pay to	questa data pagate	kwesta data pa-
Messrs. Smith or	alla Ditta Smith o	gate alla ditta
order the sum of	all'ordine la somma	smith o all ˈordine
two hundred and	di cinquecentomila	la somma di tʃiŋ-
fifty pounds for	lire in pagamento	kwetʃɛntomila lire
value received.	di merce ricevuta.	im pagamento di
(signed).	Buono per	mɛrtʃe ritʃevuta.
Thomas	500,000 lire.	bwɔno per tʃiŋ-
Churchman.	firmato,	kwetʃɛntomila lire.
Mr. Paul Miller,	Tommaso	firmato tomma-
London.	Chiesa,	zo kjɛza
	Bristol.	bristol.

NUMERALS

VOCABULARY

English.	Italian.	Pronunciation.
Cardinals	**Numeri cardinali:**	ˈnumeri kardinali :
nil, nought	zero	dzɛro
one	un, una, uno	un, una, uno
two	due	due
three	tre	tre
four	quattro	kwattro
five	cinque	tʃiŋkwe
six	sei	sɛi
seven	sette	sɛtte
eight	otto	ɔtto
nine	nove	nɔve
ten	dieci	djɛtʃi
eleven	undici	ˈunditʃi
twelve	dodici	ˈdoditʃi
thirteen	tredici	ˈtreditʃi
fourteen	quattordici	kwatˈtorditʃi
fifteen	quindici	ˈkwinditʃi
sixteen	sedici	ˈseditʃi
seventeen	diciassette	ditʃasɛtte
eighteen	diciotto	ditʃɔtto
nineteen	diciannove	ditʃannɔve
twenty	venti	venti
twenty-one	ventuno	ventuno
twenty-two	ventidue	ventidue
twenty-eight	ventotto	ventɔtto
thirty	trenta	trenta
thirty-one	trentuno	trentuno
thirty-two	trentadue	trentadue
thirty-eight	trentotto	trentɔtto
forty	quaranta	kwaranta
fifty	cinquanta	tʃiŋkwanta
sixty	sessanta	sessanta
seventy	settanta	settanta

English.	Italian.	Pronunciation.
eighty	ottanta	ottanta
ninety	novanta	novanta
a hundred	cento	tʃento
two hundred	duecento	duetʃento
three hundred	trecento	tretʃento
four hundred and thirty	quattrocentotrenta	kwattrotʃento- trenta
a thousand	mille	mille
one thousand four hundred and six	millequattrocent- osei	millekwattro- tʃentosei
two thousand	duemila	duemila
a million	un milione	un milione

Ordinals :	Numeri ordinali :	'numeri ordinali :
the first	il primo, la prima	il primo, la prima
the second	il secondo, la se- conda	il sekondo, la se- konda
the third	il terzo, la terza	il tertso, la tertsa
the fourth	il quarto	il kwarto
the fifth	il quinto	il kwinto
the sixth	il sesto	il sɛsto
the seventh	il settimo	il 'settɪmo
the eighth	l'ottavo	l ottavo
the ninth	il nono	il nɔno
the tenth	il decimo	il 'dɛtʃimo
the eleventh	l'undicesimo	l undi'tʃezimo
the twelfth	il dodicesimo	il dɔdi'tʃezimo
the thirteenth	il tredicesimo	il tredi'tʃezimo
the fourteenth	il quattordicesimo	il kwattordi'tʃe- zimo
the twentieth	il ventesimo	il ven'tɛzimo
the twenty-first	il ventunesimo	il ventu'nezimo
the thirtieth	il trentesimo	il tren'tɛzimo
the hundredth	il centesimo	il tʃen'tɛzimo
the thousandth	il millesimo	il mil'lɛzimo

English.	Italian.	Pronunciation.
Fractions :	Le Frazioni:	le fratsioni :
a half	una metà	una me'ta
a third	un terzo	un tɛrtso
a fourth	un quarto	uŋ kwarto
a fifth	un quinto	uŋ kwinto
a sixth	un sesto	un sɛsto
a twentieth	un ventesimo	un ven'tɛzimo
a hundredth	un centesimo	un tʃen'tɛzimo
3·5	3,5 tre virgola cinque	tre 'virgola tʃiŋkwe
4·75	4,75 quattro virgola settanta-cinque	kwattro 'virgola settantatʃiŋ-kwe
Adverbs :	Avverbi:	Avvɛrbi :
once	una volta	una vɔlta
twice	due volte	due vɔlte
three times	tre volte	tre vɔlte
The figure	La cifra	la tʃifra
The number	Il numero	il 'numero
The mathematics	La matematica	la mate'matika
The multiplication table	La tavola della moltiplicazione	la 'tavola della moltiplikatsione
The addition	L'addizione, la somma	l additsione la somma
The subtraction	La sottrazione	la sottratsione
The multiplication	La moltiplicazione	la moltiplikatsione
The division	La divisione	la divizjone
To add	Addizionare, fare la somma	additsionare, fare la somma
To subtract	Sottrarre	sottrarre
To multiply	Moltiplicare	moltiplikare
To divide	Dividere	di'videre
To calculate	Calcolare	kalkolare

PHRASES

English.	Italian.	Pronunciation.
How long have you been waiting ?	Da quanto tempo aspetta ?	da kkwanto tɛmpo aspɛtta ?
Three quarters of an hour	Da tre quarti d'ora	da ttre kkwarti d ora
What are your office hours ?	Quali sono le sue ore d'ufficio ?	kwali sono le sue ore d uffitʃo
From nine till five	Dalle nove alle diciassette	dalle nɔve alle diciassɛtte
	Dalle nove alle cinque (del pomeriggio)	dalle nɔve alle tʃiŋkwe (del pomeriddʒo)
I had ten days' leave	Ho avuto dieci giorni di vacanza	ɔ avuto djɛtʃi dʒorni di vakantsa
I spent eighteen months in Italy	Ho passato un anno e mezzo in Italia	ɔ ppassato un anno e mmɛddzo in i'talia
How far is it to Naples ?	Che distanza c'è da qui a Napoli ?	ke ddistantsa tʃ ɛ da kkwi a 'nnapoli ?
	A che distanza siamo da Napoli ?	a kke distantsa sjamo da 'nnapoli ?
It is fifty-five kilometres from here	Ci sono cinquantacinque chilometri	tʃi sono tʃiŋkwantatʃiŋkwe ki'lometri
	Siamo a cinquantacinque chilometri da Napoli	sjamo a ttʃiŋkwantatʃiŋkwe ki'lometri da 'nnapoli
How long will it take me to get there ?	Quanto tempo ci metterò ad arrivare là ?	kwanto tɛmpo tʃi mette'ro ad arrivare la ?
About an hour and a half	Circa un'ora e mezza	tʃirka un ɔra e mmɛddza
	Un'ora e mezza, press'a poco	un ɔra e mmɛddza press a ppɔko

English.	Italian.	Pronunciation.
The train will leave in thirty-five minutes	Il treno parte fra trentacinque minuti	il trɛno parte fra trentatʃiŋkwe minuti
The performance starts at eight-fifteen	Lo spettacolo comincia alle venti e quindici	lo spetˈtakolo komintʃa alle venti e ˈkkwinditʃi
My seat is number one hundred and six	Il mio posto ha il numero centosei	il mio posto a il ˈnumero tʃɛntosɛi
The last day of my holidays	L'ultimo giorno delle mie vacanze	l ˈultimo dʒorno delle mie vakantse
In the second year of the war	Nel secondo anno della guerra	nel sekondo anno della gwɛrra
He inherited a quarter of his father's fortune	Ha ereditato un quarto della fortuna di suo padre	a ereditato uŋ kwarto della fortuna di suo padre
Two thirds of the book are un-interesting	I due terzi del libro non sono interessanti	i due tɛrtsi del libro non sono interessanti
He sold half of his property	Ha venduto la metà dei suoi terreni	a vvenduto la meˈta dei swɔi terreni
A year and a half ago I was in hospital	Un anno e mezzo fa ero all'ospedale	un anno e mmɛddzo fa ero all ospedale
The child is six months old	Il bambino ha sei mesi	il bambino a ssɛi mesi
She took half a day off	S'è presa una mezza giornata di libertà	s ɛ pprɛsa una mɛddza dʒornata di liberˈta
In nineteen hundred and four-teen	Nel millenovecentoquattordici	nel millenɔvetʃɛntokwatˈtorditʃi

COINAGE, WEIGHTS, MEASURES
VOCABULARY

English.	Italian.	Pronunciation.
The money	Il denaro	il denaro
The change	Il resto	il rɛsto
The note	Il biglietto di banca	il biʎʎetto di baŋka
The centime	Il centesimo	il tʃenˈtɛzimo
The lira	La lira	la lira
The five-lira coin	La moneta da cinque lire	la moneta da tʃiŋkwe lire
The fifty-lira note	Il biglietto da cinquanta lire	il biʎʎetto da tʃiŋkwanta lire
The centimetre (0·39 in.)	Il centimetro	il tʃenˈtimetro
The metre (1 yd. 3 in.)	Il metro	il mɛtro
The kilometre (⅝ mile)	Il chilometro	il kiˈlometro
The square metre (1·196 sq. yd.)	Il metro quadrato	il mɛtro kwadrato
The hectare (2·47 acres)	L'ettara	l ˈɛttara
The cubic metre	Il metro cubo	il mɛtro kubo
The litre (1¾ pints)	Il litro	il litro
The hectolitre (100 litres)	L'ettolitro	l etˈtolitro
The kilogram (2·204 lb.)	Il chilogrammo, il chilo	il kilogrammo, il kilo
50 kilograms (7 st. 12 lb).	Cinquanta chili	tʃiŋkwanta kili
100 kilograms	Cento chili	tʃento kili
The ton (1000 kilograms)	La tonnellata	la tonnellata

PHRASES

English.	Italian.	Pronunciation.
I have no change on me	Non ho spiccioli in tasca	non ɔ ˈsspittʃoli in taska
Can you lend me twenty-five lire ?	Mi può imprestare venticinque lire ?	mi pwɔ imprestare ventitʃiŋkwe lire?
Can I borrow a pound till to-morrow ?	Mi può imprestare una sterlina fino a domani ?	mi pwɔ imprestare una sterlina fino a domani ?
He borrowed ten pounds yester-day	S'è fatto imprestare dieci sterline ieri	s ɛ ʃʃatto imprestare djɛtʃi sterline jɛri
I have only a little silver	Ho poche monete d'argento in tasca	ɔ ppɔke monete d ardʒento in ta-ska
Put a penny in the slot	Introduca una moneta nella fessura	introduka una moneta nella fessura
I have lost a hun-dred-lira note	Ho perduto un biglietto da cento lire	ɔ pperduto um biʎʎetto da tʃento lire
I have to pay 2000 lire	Devo pagare duemila lire	dɛvo pagare duemila lire
When can you re-pay me ?	Quando potrà rimborsarmi ?	kwando poˈtra rrimborsarmi ?
May I defer paying until next month ?	Posso rimandare il pagamento fino al mese venturo ?	pɔsso rimandare il pagamento fino al mese venturo ?
He has run into debt	Ha fatto dei debiti	a ffatto dei ˈdebiti
What do I owe you ?	Quanto Le devo ?	kwanto le dɛvo ?
Here is an advance payment of three thousand lire	Ecco un pagamento anticipato di tre-mila lire	ɛkko um pagamento antitʃipato di tre-mila lire
I must pay my in-surance policy	Devo pagare la mia polizza d'assicu-razione	dɛvo pagare la mia ˈpolittsa d assi-kuratsione

English.	Italian.	Pronunciation.
Where can I exchange foreign money ?	Dove posso cambiare della valuta estera ?	dove pɔsso kambjare della valuta 'ɛstera ?
I have to earn my living	Devo guadagnarmi la vita	dɛvo gwadaɲɲarmi la vita
He receives a monthly allowance from his mother	La madre gli passa una rendita mensile	la madre ʎi passa una 'rendita mensile
He was a war profiteer and made his money on the black market	È un arricchito di guerra, che ha fatto fortuna al mercato nero	ɛ un arrikkito di gwɛrra ke a ffatto fortuna al merkato nero
Have you paid your income tax ?	Lei ha già pagato l'imposta sulla rendita ?	lɛi a ddʒa pagato l imposta sulla 'rendita ?
It is deducted from my salary	Me la ritengono dal salario	me la ri'tengono dal salarjo
How far is Turin from Milan ?	Che distanza c'è fra Torino e Milano ?	ke ddistantsa tʃ ɛ ffra torino e mmilano ?
I drove at eighty kilometres an hour	Ho fatto ottanta chilometri all'ora	ɔ ffatto ottanta ki'lometri all ora
Let me have three metres and forty centimetres of this ribbon	Mi dia tre metri e quaranta centimetri di questo nastro	mi dia tre mɛtri e kkwaranta tʃen'timetri di kwesto nastro
The garden is thirty-five metres long and twenty metres wide	Il giardino misura trentacinque metri in lunghezza e venti metri in larghezza	il dʒardino mizura trɛntatʃiŋkwe mɛtri in luŋgettsa e vventi mɛtri in largettsa
Will you take my measurements for a suit ?	Mi prenda le misure per un abito	mi prɛnda le mizure per un 'abito

English.	Italian.	Pronunciation.
These shoes are made to measure	Queste scarpe sono fatte su misura	kweste skarpe sono fatte su mmizura
A quarter of a litre of milk, please	Mi dia un quarto di latte per favore	mi dia uŋ kwarto di latte per favore
What is your weight ?	Quanto pesa Lei ?	kwanto pesa lɛi ?
I weigh sixty kilograms (9 stone 6 lb.)	Peso sessanta chili	peso sessanta kili
I have ordered ten hundredweight of coal and two cubic metres of wood	Ho ordinato una mezza tonnellata di carbone e due metri cubi di legna	ɔ ordinato una mɛddza tonnellata di karbone e ddue mɛtri kubi di leɲɲa

THE HUMAN BODY, HEALTH : AT THE DOCTOR'S, AT THE DENTIST'S

VOCABULARY

The head	La testa, il capo	la tɛsta, il kapo
The face	La faccia, il viso	la fattʃa, il vizo
The skull	Il cranio	il 'kranio
The forehead	La fronte	la fronte
The eye	L'occhio	l ɔkkjo
The eyelid	La palpebra	la 'palpebra
The eyebrow	Il sopracciglio (le sopracciglia)	il soprattʃiλλo (le soprattʃiλλa)
The ear	L'orecchio	l orekkjo
The nose	Il naso	il naso
The mouth	La bocca	la bokka
The lip	Il labbro (le labbra)	il labbro (le labbra)
The cheek	La guancia, la gota	la gwantʃa, la gɔta
The chin	Il mento	il mento
The jaw	La mascella	la maʃella

English.	Italian.	Pronunciation.
The tooth	Il dente	il dɛnte
The gum	La gengiva	la dʒendʒiva
The tongue	La lingua	la liŋgwa
The neck	Il collo	il kɔllo
The throat	La gola	la gola
The tonsil	La tonsilla	la tonsilla
The gland	La glandola	la ˈglandola
The hair	Il capello, i capelli	il kapello, i kapelli
The skin	La pelle	la pɛlle
The body	Il corpo	il kɔrpo
The trunk	Il tronco	il troŋko
The bone	L'osso [le ossa (human bones)]	l ɔsso [le ɔssa]
The rib	La costola	la ˈkɔstola
The spine	La spina dorsale	la spina dorsale
The chest	Il petto	il pɛtto
The abdomen	L'addome	l addɔme
The belly	Il ventre, la pancia	il vɛntre, la pantʃa
The lung	Il polmone	il polmone
The heart	Il cuore	il kwɔre
The bowels	Gli intestini	ʎi intestini
The stomach	Lo stomaco	lo ˈstɔmako
The shoulder	La spalla	la spalla
The arm	Il braccio	il brattʃo
The elbow	Il gomito	il ˈgomito
The hand	La mano	la mano
The wrist	Il polso	il polso
The finger	Il dito (le dita)	il dito (le dita)
The thumb	Il pollice	il ˈpɔllitʃe
The nail	L'unghia	l uŋgja
The leg	La gamba	la gamba
The thigh	La coscia	la kɔʃa
The hip	L'anca, il fianco	l aŋka, il fjaŋko
The knee	Il ginocchio (le ginocchia)	il dʒinɔkkjo (le dʒinɔkkja)
The ankle	La caviglia	la kaviʎʎa
The foot	Il piede	il pjɛde

English.	Italian.	Pronunciation.
The toe	Il dito del piede, la punta del piede	il dito del pjɛde, la punta del pjɛde
The blood	Il sangue	il saŋgwe
The vein	La vena	la vena
The artery	L'arteria	l arˈtɛria
The illness, disease	La malattia, il male	la malatˈtia, il male
The nutrition, the feeding	La nutrizione, l'alimentazione	la nutritsione, l alimentatsione
The food	Il cibo	il tʃibo
The malnutrition	La cattiva nutrizione	la kattiva nutritsione
The pain	Il dolore	il dolore
The headache	Il mal di testa	il mal di tɛsta
The sore throat	Il mal di gola	il mal di gola
The cold	Il raffreddore	il raffreddore
The cough	La tosse	la tosse
The inflammation	L'infiammazione	l infjammatsione
The infection	L'infezione	l infetsione
The pneumonia	La polmonite	la polmonite
The gastric trouble	Il disturbo gastrico	il disturbo ˈgastriko
The tuberculosis	La tubercolosi	la tuberkolosi
The measles	Il morbillo	il morbillo
The mumps	Gli orecchioni	ʎi orekkjoni
The chicken pox	La varicella	la varitʃella
The medical examination	L'esame medico	l ezame ˈmɛdiko
The treatment	La cura	la kura
The medicine	La medicina	la meditʃina
The prescription	La ricetta medica	la ritʃetta ˈmɛdika
The adhesive plaster	Il cerotto (adesivo)	il tʃerotto (adezivo)
The cotton-wool	La bambagia, l'ovatta	la bambadʒa, l ovatta
	Il cotone idrofilo	il kotone iˈdrɔfilo
The ambulance	L'ambulanza	l ambulantsa
The nurse	L'infermiera	l infermiɛra
The doctor	Il medico, il dottore	il ˈmɛdiko, il dottore

English.	Italian.	Pronunciation.
The dentist	Il dentista	il dentista
The toothache	Il mal di denti	il mal di dɛnti
To extract	Cavare, togliere	kavare, ˈtɔλλere
To stop	Piombare	pjombare
To treat	Curare	kurare
To anæsthetise	Anestetizzare	anestetiddzare
To cure, heal	Guarire	gwarire

PHRASES

What are Dr. Baker's consulting hours ?	A che ora riceve il Dottor Colombo ?	a kke ora ritʃeve il dotˈtor kolombo ?
Send for the doctor	Mandi a chiamare il medico	mandi a kkjamare il ˈmɛdiko
Telephone for the doctor	Telefoni al dottore	teˈlɛfoni al dottore
What is the matter with you ?	Che cosa ha Lei ?	ke kkɔsa a llɛi ?
I don't feel well	Non mi sento bene	non mi sɛnto bɛne
I feel very ill	Mi sento molto male	misɛnto molto male
I feel very sick (giddy)	Soffro di nausee. Mi gira la testa	sɔffro di ˈnausee. mi dʒira la tɛsta
I feel very weak	Mi sento una grande debolezza	mi sɛnto una grande debolettsa
I have a sore throat	Ho male alla gola	ɔ mmale alla gola
You have inflammation of the throat	Lei ha un'infiammazione alla gola	lɛi a un infiammatsione alla gola
Your tonsils are swollen	Lei ha le tonsille gonfie	lɛi a le tonsille gonfje
I am hoarse	Sono rauco	sono rauko
I've caught a cold	Sono raffreddato	sono raffreddato
I keep sneezing, and my nose runs	Continuo a starnutire e mi cola il naso	kontinwo a sstarnutire e mmi kola il naso
I cough all night	Tossisco tutta la notte	tossisko tutta la nɔtte

English.	Italian.	Pronunciation.
You must gargle and take a cough mixture	Lei deve fare gargarismi e prendere una medicina per la tosse	lɛi dɛve fare gargarizmi e 'pprendere una meditʃina per la tosse
Take the pills three times a day	Prenda le pillole tre volte al giorno	prenda le 'pillole tre vɔlte al dʒorno
I must take your temperature	Devo prendere la sua temperatura	dɛvo 'prɛndere la sua temperatura
You are feverish	Lei ha la febbre	lɛi a lla fɛbbre
The temperature is going up (down)	La febbre sale (scende)	la fɛbbre sale la fɛbbre ʃende
Your pulse is very irregular	Lei ha il polso molto irregolare	lɛi a il polso mɔltɔ irregolare
My heart is very weak	Sono debole di cuore	sono 'debole di kwɔre
You have pneumonia	Lei ha la polmonite	lɛi a lla polmonite
She is suffering from pleurisy (measles, scarlet fever, typhoid)	Ha la pleurite (il morbillo, la scarlattina, il tifo)	a lla pleurite (il morbillo, la skarlattina, il tifo)
Did he die of T.B. ?	È morto di tubercolosi ?	ɛ mmɔrto di tuberkolosi
You must be moved to hospital	Bisognerà farla trasportare all'ospedale	bizoɲɲe'ra farla trasportare al ospedale
Keep warm	Stia al caldo	stia al kaldo
The patient must not be disturbed	Il malato non deve essere disturbato	il malato non dɛve 'essere disturbato
Must I have an operation ?	Devo farmi operare ?	dɛvo farmi operare ?
Have you been to a specialist ?	È stato da uno specialista ?	e sstato da uno spetʃalista ?
You should consult my doctor	Lei dovrebbe consultare il mio medico	lɛi dovrebbe konsultare il mio 'mɛdiko

English.	Italian.	Pronunciation.
What are his fees?	Qual'è il suo onorario?	kwal ɛ il suo onorarjo?
I shall have to give you a thorough examination	Dovrò fare una visita completa	do'vro ffare una 'vizita kompleta
We shall have to take an X-ray	Lei dovrà passare i raggi	lɛi do'vra ppassare i raddʒi
Is your digestion all right?	Digerisce bene?	didʒerife bɛne?
The medicine was no good	La medicina non valeva niente	la meditfina non valɛva niɛnte
Shake the bottle	Agitare la bottiglia prima dell'uso	adʒitare la bottiʎʎa prima dell uzo
For external use only	Per uso esterno	per uzo estɛrno
Poison	Veleno	veleno
You have broken your arm	Lei si è rotto un braccio	lɛi si ɛ rrotto um brattfo
He has fractured his skull	Si è fratturato il cranio	si ɛ ffratturato il kranjo
I have had a bad concussion	Ho avuto una grave commozione cerebrale	ɔ avuto una grave kommotsione tfererebrale
I am injured	Sono ferito	sono ferito
Have you sprained your ankle?	Si è storta una caviglia?	si ɛ sstɔrta una kaviʎʎa?
I must bandage your foot	Devo fasciarle il piede	dɛvo fafarle il pjede
You are badly bruised	Lei ha delle contusioni gravi	lɛi a ddelle kontuzjoni gravi
He is suffering from an internal ulcer	Soffre di un'ulcera allo stomaco	sɔffre di un 'ultfera allo 'stɔmako
The illness got worse (better)	La malattia è peggiorata (migliorata)	la malat'tia ɛ ppeddʒorata (miʎʎorata)
Are you feeling better?	Si sente meglio?	si sɛnte mɛʎʎo?

English.	Italian.	Pronunciation.
The cut is healed, but you can see the scar	La ferita si è richiusa bene, ma si vede sempre la cicatrice	la ferita si ɛ rrikjusa bɛne, ma ssi vɛde sɛmpre la tʃikatritʃe
I must dress your wounds	Devo fasciarle le ferite	dɛvo faʃarle le ferite
I cannot hear well	Non sento bene	non sɛnto bɛne
I am deaf	Sono sordo (sorda)	sono sordo (sorda)
She is deaf and dumb	È sordomuta	ɛ sordomuta
You must go to an ear-specialist	Lei deve andare da uno specialista per gli orecchi	lɛi dɛve andare da uno spetʃalista per ʎi orekki
Your middle-ear is inflamed	Lei ha un'infiammazione all'orecchio medio	lɛi a un infjammatsione all orekkjo ˈmɛdio
Where does the oculist live ?	Dove abita l'oculista ?	dove ˈabita l okulista ?
I am short-sighted (long-sighted)	Sono miope (presbite)	sono ˈmiope (ˈprɛzbite)
He is blind	È cieco	ɛ ttʃɛko
I need a pair of spectacles	Ho bisogno degli occhiali	ɔ bbizoɲɲo deʎʎi okkjali
He squints a little	È leggermente strabico	ɛ lleddʒermente ˈstrabiko
At the dentist's :	Dal dentista:	dal dentista :
Please come into the surgery	S'accomodi nell'ambulatorio chirurgico	s akˈkɔmodi nell ambulatɔrjo kiˈrurdʒiko
This molar (incisor) hurts me	Questo molare (incisivo) mi fa male	kwesto molare (intʃisivo) mi fa mmale
It must be stopped	Bisognerà piombarlo	bizoɲɲeˈra piombarlo
The gums are bleeding	Le gengive sanguinano	le dʒendʒive ˈsangwinano

English.	Italian.	Pronunciation.
The root is decayed	La radice è cariata	la raditʃe ɛ kkarjata
Can you stop the drilling ?	Può smettere di trapanare ?	pwɔ 'zmettere di trapanare ?
The tooth must be extracted	Bisogna strappare il dente	bizɔɲɲa strappare ıl dɛnte
I shall give you a local anæsthetic	Le farò un'anestesia locale	le fa'ro un aneste'zia lokale
I have a gumboil	Ho un ascesso alla gengiva	ɔ un aʃesso alla dʒendʒiva
What sort of m o u t h - w a s h (toothpaste) do you use ?	Che acqua dentrifricia (pasta dentifricia) adopra Lei ?	ke akkwa dentrifritʃa (pasta dentifritʃa) adɔpra lɛi ?
I am afraid you must have dentures	Temo che Lei dovrà mettere la dentiera	tɛmo ke llɛi do'vra 'mmettere la dentiera
You must have a gold crown on your tooth	Lei ha bisogno di una capsula d'oro sul suo dente	lɛi a bbizoɲɲo di una 'kapsula d ɔro sul suo dɛnte
I shall have to get a new toothbrush	Mi dovrò comprare un nuovo spazzolino per i denti	mi do'vro kkomprare un nuɔvo spattsolino per i dɛnti

AT THE BARBER'S, HAIRDRESSER'S

VOCABULARY

The safety razor	Il rasoio di sicurezza	il rasojo di sikurettsa
The razor blade	La lametta	la lametta
The permanent wave	L'ondulazione permanente (la permanente)	l ondulatsione permanɛnte (la permanɛnte)
The hair-net	La rete per i capelli	la rete per ı kapelli
The hairpin	La forcella	la fortʃella

English.	Italian.	Pronunciation.
The hair-grip	La molletta	la molletta
The parting	La riga	la riga
The curl	Il ricciolo	il ˈrittʃolo
The hair-curler	L'arricciatore per i capelli	l arrittʃatore per i kapelli
The comb	Il pettine	il ˈpettine
The brush	La spazzola per i capelli	la ˈspattsola per i kapelli
To shave	Farsi la barba, radersi	farsi la barba, ˈradersi
To lather	Insaponare	insaponare
To cut, trim	Tagliare, uguagliare	taλλare, ugwaλλare
To shampoo	Lavare la testa	lavare la tɛsta
To set	Mettere in piega	ˈmettere im pjɛga

PHRASES

Is there a gentleman's hairdresser near?	C'è un barbiere qui vicino?	tʃ ɛ un barbiere kwi vvitʃino?
Haircut, please	Mi tagli i capelli, per piacere	mi taλλi i kapelli per pjatʃere
Not too short, please	Non troppo corti, per favore	non trɔppo korti, per favore
I should like a shampoo	Vorrei farmi lavare la testa	vorrɛi farmi lavare la tɛsta
Where do you have the parting?	Dove si fa la riga?	dove si fa la riga?
You can give me a shave too	Mi rada anche la barba	mi rada aŋke la barba
You are getting bald (grey)	Lei sta diventando calvo (grigio)	lɛi sta ddiventando kalvo (gridʒo)
Have you any good hair-oil?	Avete un buon olio per i capelli?	avete um bwɔn ˈɔlio per i kapelli?
Have you a hair-restorer?	Avete un buon ricostituente per i capelli?	avete um bwɔn ricostituɛnte per i kapelli?

English.	Italian.	Pronunciation.
Can you recommend a ladies' hairdresser?	Mi può suggerire un buon parrucchiere per signora?	mi pwɔ ssuddʒerire um bwɔm parrukkjɛre per siɲɲora?
I want my hair shampooed and set	Mi lavi e metta in piega i capelli	mi lavi e mmetta im pjɛga i kapelli
Don't cut off too much, please	La prego di non tagliarmi i capelli troppo corti	la pprɛgo di non taʎʎarmi i kapelli trɔppo korti
Can I come for a perm to-morrow?	Posso venire domani a fare la permanente?	pɔsso venire domani a ffare la permanɛnte?
How much will it be?	Quanto verrà a costare?	kwanto verˈra a kostare?
Will you have curls or a roll?	Vuole i riccioli o un rotolo?	vwɔle i ˈrittʃoli o un ˈrɔtolo?
I should like to try a new style of hairdressing	Vorrei provare una nuova pettinatura	vorrɛi provare una nuɔva pettinatura
You ought to have your hair dyed	Lei dovrebbe farsi tingere i capelli	lɛi dovrɛbbe farsi ˈtindʒere i kapelli
Would you like your hair bleached?	Vuole che le decolori i capelli?	vwɔle ke le dekolori i kapelli?
My hair-net is torn	La mia rete è strappata	la mia rete ɛ sstrappata
Do you sell lipstick and nail varnish?	Vendete il rosso per le labbra e lo smalto per le unghie?	vendete il rosso per le labbra e lo zmalto per le uŋgje?
Some face-powder and cream, please	Vorrei della cipria e della crema per la faccia	vorrɛi della tʃiprja e della krɛma per la fattʃa
I want to buy some scent	Vorrei comprare del profumo	vorrɛi komprare del profumo

English.	Italian.	Pronunciation.
Have you anyone here for manicure and pedicure?	C'è qualcuno che fa manicure e pedicure qui?	tʃ ɛ kkwalkuno ke ffa mani'kur e ppedi'kur kwi?
A cake of good toilet soap, please	Una saponetta fine, per piacere	una saponetta fine per pjatʃere

CLOTHING

VOCABULARY

English	Italian	Pronunciation
MEN'S CLOTHES:	Vestiti da uomo:	vestiti da wɔmo:
The pyjamas	Il pigiama	il pidʒama
The dressing-gown	La vestaglia	la vestaʎʎa
The slippers	Le pantofole	le pan'tɔfole
The socks	I calzini	i kaltsini
The shoe	La scarpa	la skarpa
The suspenders	Le giarrettiere	le dʒarrettjɛre
The pants	Le mutande	le mutande
The vest	La maglia	la maʎʎa
The shirt	La camicia	la kamitʃa
The braces	Le bretelle	le bretɛlle
The belt	La cintura	la tʃintura
The collar	Il colletto	il kolletto
The stud	I gemelli (della camicia)	i dʒemɛlli (della kamitʃa)
The tie	La cravatta	la kravatta
The suit	L'abito	l 'abito
The jacket	La giacca	la dʒakka
The trousers	I pantaloni	i pantaloni
The waistcoat	Il panciotto	il pantʃɔtto
The dinner-jacket	Lo smoking, l'abito da società	lo smokiŋ, l 'abitɔ da ssotʃe'ta
The tail-coat	Il frac	il frak
The overcoat	Il cappotto	il kappɔtto
The hat	Il cappello	il kappɛllo
The cap	Il berretto	il berrɛtto
The glove	Il guanto	il gwanto

English.	Italian.	Pronunciation.
The stick	Il bastone	il bastone
The umbrella	L'ombrello	l ombrɛllo
The scarf	La sciarpa	la ʃarpa
The handkerchief	Il fazzoletto	il fattsoletto
WOMEN'S CLOTHES :	Vestiti da donna :	Vestiti da ddɔnna
The stocking	La calza	la kaltsa
The underwear	La biancheria	la bjaŋke'ria
The slip	La sottoveste	la sottovɛste
The dress	Il vestito	il vestito
The coat and skirt	Il tailleur	il ta'jeur (French)
The blouse	La camicetta	la kamitʃetta
The skirt	La gonna	la gonna
The night-dress	La camicia da notte	la kamitʃa da nnot-te
The corsets	Il busto	il busto
The brassière	Il reggipetto	il reddʒipɛtto
The fur coat	La pelliccia	la pellittʃa
The veil	La veletta	la veletta
The sports wear	I vestiti sportivi	i vestiti sportivi
The design	Il modello, il dise-gno	il modɛllo, il dise-ɲɲo
The material	La stoffa	la stɔffa
The silk	La seta	la sɛta
The velveteen	Il velluto di cotone	il velluto di kotone
The wool	La lana	la lana
The linen	La tela	la tela
The coat-hanger	La gruccia, l'attac-capanni	la gruttʃa, l 'attak-kapanni
The tailor	Il sarto	il sarto
The dressmaker	La sarta	la sarta
The milliner	La modista	la modista
To dress	Vestirsi	vestirsi
To undress	Svestirsi, spogliarsi	zvestirsi, spoʎʎarsi
To sew	Cucire	kutʃire
To mend	Aggiustare	addʒustare
To darn	Rammendare	rammendare

English.	Italian.	Pronunciation.
Red	**Rosso**	rosso
Blue	**Celeste, turchino, blu, azzurro**	tʃeleste, turkino, blu, addzurro
Green	**Verde**	verde
Yellow	**Giallo**	dʒallo
Brown	**Marrone**	marrone
Grey	**Grigio**	gridʒo
Black	**Nero**	nero
White	**Bianco**	bjaŋko
Purple	**Viola**	viɔla
Light and dark	**Chiaro e scuro**	kjaro e sskuro

PHRASES

Have you a good tailor?	**Lei va da un buon sarto?**	lei va dda un bwɔn sarto?
I want a suit made to measure	**Desidero farmi fare un abito su misura**	de'sidero farmi fare un 'abito su mmizura
I prefer it to a ready-made one	**Lo preferisco ad uno già confezionato**	lo preferisko ad uno dʒa kkonfetsionato
What sort of material do you stock?	**Che stoffe avete in magazzino?**	ke sstɔffe avete in magaddzino?
I want a suit	**Desidero un abito completo**	de'sidero un 'abito kompleto
Single-breasted or double-breasted?	**A un petto o a doppio petto?**	a un pɛtto o a doppjo pɛtto?
Please line the pockets with chamois-leather	**Favorisca foderare le tasche con pelle scamosciata**	favoriska foderare le taske kom pelle skamoʃata
Do you wear braces or a belt?	**Porta le bretelle o la cintura?**	pɔrta le bretɛlle o la tʃintura?
The sleeves are too short	**Le maniche sono troppo corte**	le 'manike sono trɔppo korte
The trousers are too long	**I pantaloni sono troppo lunghi**	i pantaloni sono trɔppo luŋgi

English.	Italian.	Pronunciation.
The lapels are too wide	I risvolti sono troppo larghi	i risvɔlti sono trɔppo largi
The jacket does not fit	La giacca non mi va bene	la dʒakka non mi va bbɛne
I should like a dark sports jacket and a pair of light flannel trousers	Vorrei una giacca sportiva di un colore scuro e dei pantaloni di flanella di un grigio chiaro	vorrɛi una dʒakka sportiva di un kolore skuro e ddei pantaloni di flanella di un gridʒo kjaro
The suit is well cut	L'abito è ben tagliato	l ˈabito ɛ bbɛn taʎʎato
Show me some coloured shirts please	Mi mostri delle camice colorate per piacere	mi mostri delle kamitʃe kolorate per pjatʃere
Six starched collars	Sei colletti inamidati	sɛi kolletti inamidati
Have you a blue silk tie ?	Ha una cravatta di seta blu ?	a una kravatta di seta blu ?
Half a dozen coloured and a dozen white handkerchiefs	Una mezza dozzina di fazzoletti colorati e una dozzina di (fazzoletti) bianchi	una mɛddza doddzina di fattsoletti kolorati e una doddzina di bjaŋki
The hat is too big for me	Il cappello mi è troppo grande	il kappɛllo mɪ ɛ ttrɔppo grande
I must send my grey hat to be cleaned	Devo mandare il mio cappello grigio a pulire a secco	dɛvo mandare il mio kappɛllo gridʒo a ppulire a ssɛkko
The suit must be repaired, the lining is torn	Bisogna far riparare questo abito, la fodera è strappata	bizoɲɲa far riparare kwesto ˈabito, la ˈfodera ɛ sstrappata
Please send these shoes to be soled	Per favore mi faccia risuolare queste scarpe	per favore mi fattʃa risuolare kweste skarpe

English.	Italian.	Pronunciation.
The slippers need new heels	Le pantofole hanno bisogno di tacchi nuovi	le pan'tɔfole anno bizoɲɲo di takki nuɔvi
I like coloured socks	Mi piacciono i calzini colorati	mi 'pjattʃono i kaltsini kolorati
The woollen socks have shrunk	I calzini di lana si sono ristretti	i kaltsini di lana si sono ristretti
The colours have run	I colori sono sbiaditi	i kolori sono zbiaditi
Do you prefer brown or black shoes ?	Preferisce le scarpe nere o marrone ?	preferiʃe le skarpe nere o marrone ?
The shoes are too narrow	Le scarpe sono troppo strette	le skarpe sono trɔppo strette
The toe-cap pinches	La punta della scarpa mi stringe	la punta della skarpa mi strindʒe
A pair of brown laces, please	Un paio di stringhe marrone, per favore	um pajo di striɲge marrone per favore
Have you any silk underwear which is not too expensive ?	Ha della biancheria di seta che non costi troppo cara ?	a della bjaŋke'ria di seta ke noŋ kɔsti trɔppo kara ?
Have you any ladies' vests and knickers in light blue ?	Ha della mutandine celesti per signora ?	a della mutandine tʃelɛsti per siɲɲora ?
A pink slip, please	Una sottoveste rosa, per favore	una sottoveste rɔza, per favore
Do you wear combinations ?	Lei porta combinazioni ?	lɛi pɔrta kombinatsioni ?
A blue-striped sports blouse	Una camicetta sportiva a righe blu	una kamitʃetta sportiva a rrige blu
The brown skirt is very smart	La gonna marrone è molto elegante	la gonna marrone ɛ mmolto elegante
This is a good coat and skirt	Questo è un bel tailleur	kwesto ɛ un bɛl taj'jeur

English.	Italian.	Pronunciation.
It is too large for me	È troppo grande per me	ɛ ttrɔppo grande per mɛ
You can have it altered	Si potrà modificare	si poˈtra modifikare
Please show me some silk afternoon dresses	Mi mostri degli abiti da pomeriggio di seta, per favore	mi mostri deʎʎi ˈabiti da ppomeriddʒo di seta, per favore
I need a woollen winter-dress	Ho bisogno d'un vestito invernale di lana	ɔ bbizoɲɲo d un vestito invernale di lana
Have you any low-necked evening-dresses ?	Ha dei vestiti da sera scollati ?	a ddei vestiti da ssera skɔllati ?
Your green dress is very becoming	Il suo vestito verde Le sta a meraviglia	il suo vestito verde le sta a mmeraviʎʎa
The coat is not warm enough	La giacca non mi tiene caldo	la dʒakka non mi tjɛne kaldo
I should like a red cap, a red shawl and knitted woollen gloves	Vorrei un berretto rosso, uno scialle rosso e dei guanti di maglia di lana rossa	vorrɛi un berretto rosso, uno ʃalle rosso e ddei gwanti di maʎʎa di lana rossa
Wouldn't you prefer fur-lined gloves ?	Non preferirebbe dei guanti foderati di pelliccia ?	nom preferirɛbbe dei gwanti foderati di pellittʃa ?
A pair of green slippers, lined with lamb's-wool	Un paio di pantofole verdi, foderate di lana d'agnello	un pajo di panˈtɔfole verdi, foderate di lana d aɲɲello

AT THE THEATRE

VOCABULARY

English.	Italian.	Pronunciation.
The theatre	Il teatro di prosa	il teatro di prɔza
The opera-house	Il teatro dell'opera	il teatro dell 'ɔpera
The box-office	Il botteghino	il bottegino
The tickets in advance	I biglietti in anticipo	i biʎʎetti in an'titʃipo
The evening performance	Lo spettacolo serale	lo spet'takolo serale
The matinée	La mattinata (la matinèe)	la mattinata (la mati'ne)
The cloakroom	Il guardaroba	il gwardarɔba
The refreshment room	Il bar	il bar
The stage	Il palcoscenico	il palko'ʃeniko
The curtain	Il sipario	il siparjo
The wings	Le quinte	le kwinte
The scenery	Lo scenario	lo ʃenarjo
The auditorium	La sala	la sala
The box	Il palco	il palko
The stalls	Le poltrone	le poltrone
The dress circle	La prima galleria	la prima galle'ria
The upper circle	La seconda galleria	la sekonda galle'ria
The gallery	Il loggione	il loddʒone
The pit	La platea	la pla'tɛa
The play	La commedia, il dramma	la kom'mɛdia, il dramma
The tragedy	La tragedia	la tra'dʒedia
The comedy	La commedia	la kom'mɛdia
The act	L'atto	l atto
The scene	La scena	la ʃɛna
The interval	L'intervallo	l intervallo
The author	L'autore	l autore

E

English.	Italian.	Pronunciation.
The playwright	L'autore dramma- tico	l autore dram'ma- tiko
	Il drammaturgo	il drammaturgo
The poet	Il poeta	il pɔeta
The actor	L'attore	l attore
The actress	L'attrice	l attritʃe
The producer	Il produttore	il produttore
The part	La parte	la parte
The prompter	Il suggeritore	il suddʒeritore
The singer	Il cantante, la can- tante	il kantante, la kan- tante
The conductor	Il direttore d'orche- stra	il direttore d orke- stra
The concert	Il concerto	il kontʃerto
The piano	Il pianoforte	il pianofɔrte
The violin	Il violino	il violino
The bass	Il violone	il violone
The cello	Il violoncello	il violontʃɛllo
The flute	Il flauto	il flauto
The drum	Il tamburo, la gran- cassa	il tamburo, la gran- kassa
The harp	L'arpa	l arpa
The trumpet	La tromba	la tromba
The orchestra	L'orchestra	l orkɛstra
The chamber-music	La musica da ca- mera	la 'muzika da 'kka- mera
The applause	Gli applausi, l'ap- plauso	ʎi applauzi, l ap- plauzo
To applaud, to clap	Applaudire, battere le mani	applaudire, 'battere le mani
The variety show	Lo spettacolo di va- rietà o la rivista	lo spet'takolo di varie'ta o la rivista
The acrobat	L'acrobata, il sal- timbanco	l 'akrobata, il sal- timbaŋko
The conjurer	Il prestidigitatore	il prestididʒitatore
The dancer	Il ballerino, la bal- lerina	il ballerino, la bal- lerina

PHRASES

English.	Italian.	Pronunciation.
What is on at the theatre to-day ?	Che cosa c'è al teatro di prosa oggi ?	ke kkɔsa tʃ e al teatro di prɔza ɔddʒi ?
A tragedy at the State theatre	Una tragedia al Teatro Nazionale	una traˈdʒɛdia al teatro natsionale
Would you care to go to the Opera ?	Le piacerebbe andare all'Opera ?	le pjatʃerɛbbe andare all ˈɔpera ?
One of Wagner's operas is being played	Si rappresenta un'opera di Wagner	si rapprɛsɛnta un ˈɔpera di vagner
We shall not get any tickets	Sarà impossibile trovare dei biglietti	saˈra impɔsˈsibile trovare dei biˈʎʎetti
The house is sold out	Il teatro è esaurito	il teatro ɛ ezaurito
Tickets must be purchased in advance	Bisogna prenotare i posti	bizoɲɲa prenotare i posti
Can I order tickets by telephone ?	Si possono prenotare i posti per telefono ?	si ˈpɔssono prenotare i posti per teˈlɛfono ?
I should like to see a comedy	Mi piacerebbe vedere una commedia	mi pjatʃerɛbbe vedere una komˈmɛdia
Two stalls, please, if possible in the middle	Due poltrone per piacere, possibilmente centrali	due poltrone per pjatʃere possibilmente tʃentrali
Can you see well from these seats ?	Vede bene il palcoscenico da questi posti ?	vede bɛne il palkoˈʃeniko da kkwesti posti ?
You had better book seats in the dress circle	Sarebbe bene prenotare dei posti in prima galleria	sarɛbbe bɛne prenotare dei posti im prima galleˈria
Programmes, opera glasses ?	Programmi, binoccoli ?	programmi, biˈnɔkkoli ?

English.	Italian.	Pronunciation.
Can you get tea or coffee in the interval?	È possibile avere una tazza di tè o di caffè durante l'intervallo?	ɛ ppos'sibile avere una tattsa di tɛ o ddi kaf'fɛ durante l intervallo?
Only in the refreshment room	Solamente al bar	solamente al bar
The curtain rises, falls	Il sipario si alza, cala	il si'pario si altsa, kala
When does the performance start?	A che ora comincia lo spettacolo?	a kke ora komintʃa lo spet'takolo?
What a magnificent stage setting!	Che magnifica messa in scena!	ke mmaɲ'nifika messa in ʃena!
Is was designed by an artist	È stata realizzata da un artista	ɛ sstata realittsata da un artista
The actors act well	Gli attori recitano bene	ʎi attori re'tʃitano bɛne
The hero has not learned his part	Il protagonista non sa la sua parte	il protagonista non sa la sua parte
The play is enthralling (boring)	Il dramma è avvincente (noioso)	il dramma ɛ avvintʃɛnte (nojoso)
The production is bad	La produzione è scadente	la produtsione ɛ sskadɛnte
The footlights are too bright	Le luci della ribalta sono troppo forti	le lutʃi della ribalta sono trɔppo fɔrti
The comedy was booed	La commedia è stata fischiata	la kom'mɛdia ɛ sstata fiskjata
The applause was frantic (feeble)	Hanno applaudito freneticamente (senza entusiasmo)	anno applaudito frenetikamente (sentsa entuziasmo)
Yesterday was the first night	La prima rappresentazione è stata ieri	la prima rapprezentatsione ɛ sstata jeri
Here are two tickets for tonight's concert	Ecco due biglietti per il concerto di questa sera	ɛkko due biʎʎetti per il kontʃɛrto di kwesta sera

English.	Italian.	Pronunciation.
When was it first performed ?	Quando è stata rappresentata per la prima volta questa commedia ?	kwando ɛ sstata rapprezentata per la prima vɔlta kwesta kom-ˈmɛdia ?
Who is conducting ?	Chi dirige l'orchestra ?	ki ddiridze l orkestra ?
An Italian conductor	Un direttore (d'orchestra) italiano	un direttore (d orkɛstra) italiano
Do you prefer classical or light music ?	Preferisce la musica classica o la musica leggera ?	preferiʃe la muzika ˈklassika o lla ˈmuzika leddzɛra ?
Do you like chamber-music ?	Le piace la musica da camera ?	le pjatʃe la ˈmuzika da ˈkkamera ?
This is a famous orchestra	Questa è un'orchestra famosa	kwesta ɛ un orkestra famosa
The soloist is a great artist. She is a soprano (contralto) singer	La solista è una grande artista. È un soprano (contralto)	la solista ɛ una grande artista. ɛ un soprano (contralto)
He is a tenor	Egli è tenore	eλλi ɛ ttenore
He beats time	Egli batte il tempo	eλλi batte il tɛmpo
Is there a good band at your hotel ?	C'è una buona orchestra al vostro albergo ?	tʃ ɛ una bwɔna orkestra al vɔstro albɛrgo ?
Would you like to go to a variety show ?	Le piacerebbe andare a una rivista ?	le pjatʃerebbe andare a una rivista ?
I do not like acrobatics	Non mi piacciono gli acrobati	non mi ˈpjattʃono λi aˈkrobati
How about the ballet ?	E il balletto ?	e il balletto ?
If we want to be in time we must take a taxi	Se vogliamo arrivare in tempo, bisognerà prendere un tassì	se voλλamo arrivare in tɛmpo, bizoɲɲeˈraˈpprɛndere un tasˈsi

CINEMA

VOCABULARY

English.	Italian.	Pronunciation.
The cinema	Il cinema	il 'tʃinema
The film	Il film	il film
The screen	Lo schermo	lo skermo
The silent film	Il film muto	il film muto
The cultural (nature, travelling) film	Il documentario (culturale, sulla natura, di viaggi)	il dokumen'tario (kulturale, sulla natura, di viaddʒi)
The cartoon	Il cartone animato	il kartone animato
The newsreel, news of the week	Il notiziario, le attualità della settimana	il notitsiario, le attwali'ta della settimana
The close-up	Un primo piano	un primo pjano
The film studio	Lo studio cinematografico	lo studjo tʃinemato'grafiko
To film	Fare un film	fare un film

PHRASES

When is the next performance?	A che ora comincia il prossimo spettacolo?	a kke ora komin-tʃa il 'prossimo spet'takolo?
The newsreel is shown at three-thirty	Il notiziario viene proiettato alle tre e trenta	il notitsiario vjene projettato alle tre e trenta
Is this a continuous performance?	È uno spettacolo continuato?	e uno spet'takolo kontinwato?
What is on at the big cinema?	Che film danno al cinema principale?	ke ffilm danno al 'tʃinema printʃi-pale?
A new film is being shown	Danno un nuovo film	danno un nwɔvo film
Is it a serious or a comic film?	È un film serio o comico?	ɛ un film sɛrjo o 'kkɔmiko?

English.	Italian.	Pronunciation.
We had better sit at the back	Sarebbe meglio trovare dei posti in fondo alla sala	sarɛbbe mɛʎʎo trovare dei posti im fondo alla sala
I should like to see a topical film	Mi piacerebbe vedere un film d'attualità	mi pjatʃerɛbbe vedere un film d attwali'ta
This is an excellent colour film	Questo è un bellissimo film a colori	kwesto ɛ un bel'lissimo film a kkolori
Would you like to see a good animal film in slow motion ?	Le piacerebbe vedere al rallentatore un bel film sugli animali ?	le pjatʃerɛbbe vedere al rallentatore un bɛl film suʎʎi animali ?
Is there an emergency exit ?	C'è un'uscita di sicurezza ?	tʃ ɛ un uʃita di sikurettsa ?
Can we book seats in advance ?	Si possono prenotare i posti ?	si 'possono prenotare i posti ?
You have to take up the tickets half an hour before the performance starts	Bisogna ritirare i biglietti mezz'ora prima che cominci lo spettacolo	bizoɲɲa ritirare i biʎʎetti mɛddz ora prima ke kkomintʃi lo spet-'takolo

WIRELESS

VOCABULARY

The broadcasting station	La stazione di radio-diffusione	la statsione di radio-diffusione
The transmission	La trasmissione	la trasmissione
The reception	La ricezione	la ritʃetsione
The wireless set, the radio	L'apparecchio radio, la radio	l apparekkjo radio, la radio
The battery set	La radio a batterie	la radio a batte'rie
The earphones	La cuffia	la 'kuffja
The volume	Il volume	il volume
The adjustment	La sintonia	la sinto'nia
The mains	L'elettricità	l elettritʃi'ta

English.	Italian.	Pronunciation.
The aerial	L'antenna	l antenna
The frame aerial	L'antenna a inte-laiatura	l antenna a inte-lajatura
The inside aerial	L'antenna interna	l antenna intɛrna
The flex, the wire	Il filo	il filo
The case	La custodia	la kusˈtɔdia
The direct current	La corrente continua	la korrɛnte kontin-wa
The alternating current	La corrente alter-nata	la korrɛnte alter-nata
The disturbance	I disturbi	i disturbi
The short wave	Le onde corte	le onde korte
The long wave	Le onde lunghe	le onde luŋge
The medium wave	Le onde medie	le onde mɛdie
The selectivity	La selettività	la selettiviˈta
The record, the disc	Il disco	il disko
The announcer	L'annunciatore	l annuntʃatore
The news	Le notizie	le notitsie
The weather report	Il bollettino meteo-rologico	il bollettino meteo-roˈlodʒiko
The listener	L'ascoltatore	l askoltatore
To tune in	Regolare l'apparec-chio	regolare l apparek-kjo
To listen in	Ascoltare	askoltare
To earth	Mettere la presa di terra	ˈmettere la presa di tɛrra

PHRASES

Can you pick up foreign stations with your set ?	Riesce a prendere le stazioni estere col suo apparecchio ?	rieʃe a ˈpprendere le statsioni ˈɛstere col suo apparek-kjo ?
I want to buy a four-valve set	Desidero comprare un apparecchio a quattro valvole	deˈsidero komprare un apparekkjo a kkwattro ˈval-vole

English.	Italian.	Pronunciation.
My set is out of order	Il mio apparecchio non funziona	il mio apparekkjo non funtsiona
The reception is poor	La ricezione è cattiva	la ritʃetsione ɛ kkattiva
My set is subject to disturbances and fading	Il mio apparecchio è soggetto a disturbi e a evanescenza	il mio apparekkjo ɛ ssoddʒetto a ddisturbi e a evaneʃentsa
Can you recommend a good wireless repairing shop ?	Mi sa suggerire un negozio dove aggiustino bene gli apparecchi radio ?	mi sa ssuddʒerire un ne'gotsio dove ad'dʒustino bɛne ʎi apparekki radio ?
Can you send someone round to have a look at it ?	Può mandare qualcuno a casa mia a dare un'occhiata alla mia radio ?	pwɔ mmandare kwalkuno a kkasa mia a ddare un okkjata alla mia radio ?
The valves should be renewed	Bisognerebbe cambiare le valvole	bizoɲɲerɛbbe kambjare le 'valvole
Have I to take out a licence for my set ?	È necessario avere un permesso per la radio ?	ɛ nnetʃessarjo avere um permesso per la radio ?
The licence is taken out at the post office	Il permesso si ottiene all'ufficio del registro	il permesso si ottiene all uffitʃo del redʒistro
Do you often listen in ?	Ascolta spesso la radio ?	askolta spesso la radio ?
Only when they broadcast concerts ?	Solamente quando trasmettono concerti ?	solamente kwando tras'mettono kontʃerti ?
I like to hear features	Mi piace ascoltare delle rubriche	mi pjatʃe askoltare delle 'rubrike
There is a radio play to-night at eight	Questa sera alle otto c'è una commedia alla radio	kwesta sera alle ɔtto tʃ ɛ una kommɛdja alla radio
Have you heard the news ?	Ha sentito le notizie del giorno ?	a ssentito le notitsie del dʒorno ?

English.	Italian.	Pronunciation.
What was the weather forecast ?	Che tempo ha annunciato il bollettino meteorologico ?	ke ttɛmpo a annunʃato il bollettino meteoroˈlodʒiko ?
My neighbour's wireless annoys me	La radio del mio vicino mi dà fastidio	la radio del mio vitʃino mi da ffaˈstidio
Would you like to listen to the programme parade ?	Le piacerebbe sentire l'annuncio del programma di oggi ?	le pjatʃerɛbbe sentire l annuntʃo del programma di ɔddʒi ?
You have been listening to a broadcast of the Philharmonic Orchestra	Avete ascoltato la trasmissione dell'Orchestra Filarmonica	avete askoltatɔ la trasmissione dell orkɛstra filarˈmonika
The stations have closed down for to-night	Le stazioni hanno terminato le trasmissioni per questa sera	le statsioni anno terminato le trasmissioni per kwesta sera

PHOTOGRAPHY

VOCABULARY

The camera	L'apparecchio fotografico	l apparekkjo fotoˈgrafiko
The film	La pellicola	la pelˈlikola
The plate	La lastra	la lastra
The lens	La lente	la lɛnte
The photograph	La fotografia	la fotograˈfia
The time exposure	La posa	la pɔsa
The snapshot	L'istantanea	l istanˈtanea
The dark room	La camera oscura	la ˈkamera oskura
The negative	La negativa	la negativa
The developer	Lo sviluppatore	lo ʒviluppatore
The print	La copia	la kɔpja

English.	Italian.	Pronunciation.
The printing-out paper	Carta da stampa	karta da sstampa
Under-exposed	Troppo poco esposto	trɔppo pɔko esposto
Over-exposed	Troppo esposto	trɔppo esposto
To expose	Esporre	esporre
To adjust	Mettere a fuoco	'mettere a ffwɔko
To develop	Sviluppare	zviluppare
To enlarge	Ingrandire	ingrandire

PHRASES

May I take photographs here?	È permesso prendere delle fotografie qui?	ɛ ppermesso 'prendere delle fotogra'fie kwi?
You must hand in your camera here	Bisogna che Lei lasci qui l'apparecchio fotografico	bizɔɲɲa ke llɛi laʃi kwi ll apparekkjo foto'grafiko
Where can you get photographic materials?	Dove si può comprare del materiale fotografico?	dove si pwɔ kkomprare del materjale foto'grafiko?
Can I have a film?	Vorrei comprare una pellicola	vorrɛi komprare una pel'likola
Could you put it in for me?	Potrebbe mettermela nell'apparecchio, per favore?	potrɛbbe 'mettermela nell apparekkjo, per favore?
Do you develop plates and films?	È possibile far sviluppare qui le pellicole e le lastre?	ɛ ppos'sibile far zviluppare kwi le pel'likole e lle lastre?
Please let me have a proof	Mi faccia avere un provino, per favore	mi fattʃa avere um provino per favore
These photos are under-exposed	Queste fotografie sono troppo poco esposte	kweste fotogra'fie sono trɔppo pɔko esposte

English.	Italian.	Pronunciation.
Could you intensify them for me?	Potrebbe ritoccarle?	potrɛbbe ritokkarle?
Is the light too bright for a time-exposure?	Trova che la luce è troppo forte per fare una posa?	trɔva ke lla lutʃe ɛ ttrɔppo fɔrte per fare una pɔsa?
I should like to have this photo enlarged	Vorrei far ingrandire questa fotografia	vorrɛi far ingrandire kwesta fotogra'fia
How much would an enlargement cost?	Quanto costerebbe un ingrandimento?	kwanto kosterɛbbe un ingrandimento?
Have you a suitable frame?	Avrebbe una cornice adatta?	avrɛbbe una kornitʃe adatta?
Have you a photo-album?	Ha un album per le fotografie?	a un album per le fotogra'fie?
I am going to have my photo taken	Voglio farmi fare una fotografia	vɔʎʎo farmi fare una fotogra'fia

GYMNASTICS AND ATHLETICS

VOCABULARY

The cinder-track	La pista di carbonella	la pista di karbonɛlla
The gymnasium	La palestra	la palɛstra
The gymnastic apparatus	Gli attrezzi (per la ginnastica)	ʎi attrettsi (per la dʒin'nastika)
The trapeze	Il trapezio	il trapɛtsio
The rings	Gli anelli	ʎi anɛlli
The ladder	La scala	la skala
The parallel bars	Le parallele	le parallɛle
The horse	Il cavallo	il kavallo
The pole	La pertica	la 'pɛrtika
The rope	La fune	la fune
The dumbbells	Gli appoggi	ʎi appoddʒi
The club	La clava	la klava
The spring-board	La pedana	la pedana
The high jump	Il salto in alto	il salto in alto

English.	Italian.	Pronunciation.
The long jump	Il salto in lungo	il salto in luŋgo
The race	La corsa, la gara di corsa	la korsa, la gara di korsa
The relay race	La staffetta	la staffɛtta
The goal	Il traguardo	il tragwardo
The gym shoes	Le scarpe da ginnastica	le skarpe da dʒin-ˈnastika
The shorts	I calzoncini	i kaltsontʃinɪ
To run, to race	Correre	ˈkorrere
To jump	Saltare	saltare
To climb	Salire, arrampicarsi	salire, arrampikarsi
To bend the knees	Flettere le ginocchia	ˈflɛttere le dʒinok-kja

PHRASES

Do you do physical jerks in the morning?	Fa degli esercizi fisici (Lei) al mattino?	fa deλλi ezertʃitsi ˈfisitʃi (lɛi) al mattino?
Are you going to take part in the thousand-metre race?	(Lei) prenderà parte alla corsa dei mille metri?	(lɛi) prendeˈra parte alla korsa dei mille mɛtri?
Who has broken the high jump record?	Chi ha battuto il primato del salto in alto?	ki a bbattuto il primato del salto in alto?
Shall we go and see them throwing the discus and the javelin?	Dobbiamo andare a vedere il lancio del disco e del giavellotto?	dobbjamo andare a vedere il lantʃo del disko ɛ ddel dʒavellɔtto?
Can you vault over the horse?	È capace Lei di saltare il cavallo?	ɛ kkapatʃe lɛi di saltare il kavallo?
No, but I can turn a somersault	No, ma so fare un salto mortale	no, ma sɔ ffare un salto mortale
Can you recommend someone who teaches Swedish gymnastics?	Mi può suggerire il nome di qualcuno che insegni la ginnastica svedese?	mi pwɔ ssuddʒerire il nome di kwalkuno ke inseɲɲi la dʒinˈnastika zvedese?

FOOTBALL

VOCABULARY

English.	Italian.	Pronunciation.
The game	Il gioco	il dʒɔko
The match	La partita	la partita
The goal	La rete	la rete
The goal-keeper	Il portiere	il portjɛre
The team	La squadra	la skwadra
The forward	L'attaccante	l attakkante
The back	Il terzino	il tertsino
The half-back	Il mediano	il mediano
The goal-post	Il palo	il palo
The referee	L'arbitro	l 'arbitro
To kick	Dare un calcio a	dare un kaltʃo a
To beat	Battere, vincere	'battere, 'vintʃere

PHRASES

Shall we go and watch the Juventus–Genoa football match ?	Dobbiamo andare a vedere la partita di football Juventus–Genoa ?	dobbjamo andare a vvedere la partita di futbal juventus–dʒɛnoa ?
Are they famous teams ?	Sono due squadre rinomate ?	sono due skwadre rinomate ?
What a capital shot !	Che magnifico tiro !	ke mmaɲ'ɲifiko tiro !
The goal is well defended	La rete è ben difesa	la rete ɛ bbɛn difɛsa
What was the score ?	Come era il punteggio ?	kome ɛra il puntedʒo ?
Juventus won, three two	La Juventus ha vinto, tre a due	la juventus a vvinto, tre a ddue

LAWN TENNIS

VOCABULARY

English.	Italian.	Pronunciation.
The tennis match	La gara di tennis	la gara di tennis
The tennis court	Il campo di tennis	il kampo di tennis
The game	Il gioco	il dʒoko
The set	Il set	il set
The single	Il singolare, il sin-golo	il siŋgolare, il ˈsiŋ-golo
The double	Il doppio	il doppjo
The racket	La racchetta	la rakketta
The net	La rete	la rete
The base line	La linea di fondo	la ˈlinea di fondo
The service line	La linea di battuta	la ˈlinea di battuta
The volley	Il rimando	il rimando
The service	Il servizio	il serˈvitsio
To serve	Servire	servire
To take	Prendere	ˈprɛndere
To return	Rimandare	rimandare

PHRASES

Do you play tennis?	Lei gioca a tennis?	lɛi dʒoka a ttɛnnis?
I am not a good player	Non sono un bravo giocatore	non sono um bravo dʒokatore
Are there any courts in the neighbourhood?	Ci sono dei buoni campi da tennis nelle vicinanze?	tʃi sono dei bwoni kampi da ttɛnnis nelle vitʃinantse?
You can join our tennis club if you like	Se vuole, può diventare socio del nostro circolo	se vvwole, pwo ddiventare sotʃo del nostro ˈtʃir-kolo
Is the subscription very high?	La quota d'iscrizione è molto alta?	la kwota d iskritsione ɛ mmolto alta?
Have you brought your racket?	Ha portato con sè la racchetta?	a pportato con sɛ la rakketta?

English.	Italian.	Pronunciation.
I must have my racket restrung	Devo far rinnovare le corde alla mia racchetta	dɛvo far rinnovare le kɔrde alla mia rakketta
Shall we play a single (double) ?	Dobbiamo giocare un singolo (doppio) ?	dobbjamo dʒokare un 'siŋgolo (doppjo) ?
Your service!	Tocca a Lei servire!	tokka a llɛi servire
The ball was out	La palla era fuori	la palla ɛra fwori
That was a fault	Quello era fallo	kwɛllo ɛra fallo
The ball touched the net	La palla ha toccato la rete	la palla a ttokkato la rete
You must not take the ball on the volley	Non dovete rimandare la palla, colpendola al volo	non dovete rimandare la palla, kol'pɛndola al volo
You must take it on the rebound	Bisogna colpirla sul rimbalzo	bizoɲɲa kolpirla sul rimbaltso
Whose set is it ?	Chi ha vinto ?	ki a vvinto ?

GOLF

VOCABULARY

The links	Il campo di golf	il kampo di gɔlf
The hole	La buca	la buka
The green	Il prato	il prato
The bunker	La banchina	la baŋkina
The fairway	Il percorso regolare	il perkorso regolare
The tee	Il tee	il ti
The flag	La bandierina	la bandierina
The club	La mazza	la mattsa
The golf-bag	L'astuccio delle mazze	l astuttʃo delle mattse
The stroke	Il colpo	il kolpo
The handicap	Lo handicap	lo 'andikap

PHRASES

English.	Italian.	Pronunciation.
Where is the nearest golf-course?	Dove si trova il più vicino campo di golf?	dove si trova il pju vitʃino kampo di gɔlf?
Are you a member of the golf club?	Lei è socio del circolo del golf?	lei ɛ sɔtʃo del 'tʃirkolo del gɔlf?
How many holes has this course?	Quante buche ci sono in questo campo?	kwante buke tʃi sono iŋ kwesto kampo?
Shall we play a round of golf?	Dobbiamo fare una partita di golf?	dobbjamo fare una partita di gɔlf?
Hit the ball harder	Bisogna colpire più forte la palla	bizoɲɲa kolpire pju ffɔrte la palla

RIDING AND RACING

VOCABULARY

English	Italian	Pronunciation
The riding horse	Il cavallo da sella	il kavallo da ssɛlla
The racing horse	Il cavallo da corsa	il kavallo da kkorsa
The stallion	Lo stallone	lo stallone
The mare	La cavalla	la kavalla
The foal	Il puledro	il puledro
The bay	Il baio	il bajo
The chestnut	Il sauro	il 'sauro
The dapple-grey	Il leardo pomellato	il leardo pomellato
The grey horse	Il grigio	il gridʒo
The black horse	Il cavallo nero	il kavallo nero
The rider	Il cavallerizzo	il kavallerittso
	L'amazzone (fem.)	l a'maddzone
The riding-school	La scuola d'equitazione	la skuɔla d ekwitatsione
The reins	Le redini	le 'rɛdini
The stirrup	La staffa	la staffa
The spurs	Gli speroni	ʎi speroni
The saddle	La sella	la sɛlla

English.	Italian.	Pronunciation.
The saddle-girth	La cinghia della sella	la tʃiŋgja della sɛlla
The groom	Lo stalliere	lo stalljɛre
The trot	Il trotto	il trɔtto
The canter	Il piccolo galoppo	il 'pikkolo galɔppo
The gallop	Il galoppo	il galɔppo
The racecourse	Il campo da corsa	il kampo da kkorsa
The turf	La pista da corsa	la pista da kkorsa
The flat race	La corsa piana	la korsa pjana
The steeplechase	Lo steeple-chase	lo stipel-tʃɛis
The hurdle-race	La corsa ad ostacoli	la korsa ad o'stakoli
The trotting-race	La corsa al trotto	la korsa al trɔtto
The winning-post	Il traguardo	il tragwardo
The winner	Il vincitore	il vintʃitore
The length	La lunghezza	la lungettsa
The bookmaker	L'allibratore	l allibratore
The betting	Le scommesse	le skommesse
The racing stable	La scuderia da corsa	la skude'ria da kkorsa
The stud-owner	L'allevatore di cavalli puro sangue	l allevatore di kavalli puro sangwe
To back a horse	Puntare su un cavallo	puntare su un kavallo
To ride	Cavalcare	kavalkare
To mount (a horse)	Montare (a cavallo)	montare (a kkavallo)
To dismount	Scendere da cavallo, smontare	'ʃendere da kkavallo, zmontare
To kick	Tirare calci	tirare kaltʃi
To buck	Impennarsi	impennarsi
To shy	Adombrarsi	adombrarsi
To bolt	Scappare	skappare

PHRASES

Is there a riding-school near here ?	C'è una scuola di equitazione qui vicino ?	tʃ ɛ una skwɔla di ekwitatsione kwi vvitʃino ?

English.	Italian.	Pronunciation.
I should like to hire a horse	Vorrei prendere un cavallo a nolo	vorrɛi 'prɛndere uɲ kavallo a nnɔlo
I should like to take some riding-lessons	Vorrei prendere delle lezioni di equita-zione	vorrɛi prɛndere delle letsioni di ekwitatsione
How much are the riding-lessons?	Quanto costano le lezioni d'equita-zione?	kwanto 'kɔstano le letsioni d ekwita-tsione?
Where can I hire a riding-outfit?	Dove posso noleg-giare un equipag-giamento da ca-vallerizzo?	dove pɔsso noled-dʒare un ekwi-paddʒamento da kkallerittso?
Have you any riding-breeches?	Avete per caso dei calzoni da caval-lerizzo?	avete per kazo dei kaltsoni da kka-vallerittso?
Where is my whip?	Dov'è il mio fru-stino?	dov ɛ il mio fru-stino?
The horse is vicious	Questo cavallo è biz-zarro	kwesto kavallo ɛ bbiddzarro
The mare is lame	la cavalla è zoppa	la kavalla ɛ tsoppa
Please saddle the chestnut for me	Per piacere, sella-temi il sauro	per pjatʃere sel'la-temi il sauro
Would you like to go to the horse-races?	Le piacerebbe ve-nire con me alle corse?	le pjatʃerɛbbe ve-nire kom me alle korse?
Where is the en-trance to the racecourse?	Dov'è l'ingresso dell'ippodromo?	dov ɛ ll 'ingresso dell ip'pɔdromo?
Who won that last race?	Chi ha vinto l'ulti-ma corsa?	ki a vvinto l 'ulti-ma korsa?
To which stable does the winner belong?	A quale scuderia ap-partiene il vinci-tore?	a kkwale skude'ria appartjɛne il vin-ʃitore?
Did you back the favourite?	Lei ha puntato sul favorito?	lɛi a ppuntato sul favorito?
Where is the totali-sator?	Dov'è il totalizza-tore?	dov ɛ il totaliddza-tore?

HUNTING AND SHOOTING

VOCABULARY

English.	Italian.	Pronunciation.
The huntsman	Il cacciatore	il kattʃatore
The hounds, pack	I cani da caccia, la muta	i kani da kkatʃa, la muta
The meet	L'incontro, la riunione dei cacciatori	l iŋkontro, la riunione dei kattʃatori
The bag	La preda	la prɛda
The fox	La volpe	la vɔlpe
The rabbit	Il coniglio	il koniλλo
The game	La selvaggina	la selvaddʒina
The hare	La lepre	la lɛpre
The fallow deer	Il daino	il 'daino
The stag	Il cervo	il tʃɛrvo
The partridge	La pernice	la pernitʃe
The pheasant	Il fagiano	il fadʒano
The grouse	Il gallo cedrone	il gallo tʃedrone
The setter	Il setter	il setter
The pointer	Il pointer	il pwanter
The rifle	La carabina	la karabina
The gun	Il fucile da caccia	il futʃile da kkattʃa
The butt	Il calcio	il kaltʃo
The barrel	La canna	la kanna
The trigger	Il grilletto	il grilletto
The sight	Il mirino	il mirino
The cartridge	La cartuccia	la kartuttʃa
The shot	I pallini	i pallini

PHRASES

Is there any chance of hunting ?	Ci sarà qualche possibilità di cacciare la volpe ?	tʃi sa'ra kwalke possibili'ta di kattʃare la volpe ?
Would you care to go shooting hares with me ?	Le piacerebbe venire con me a caccia di lepri ?	le pjatʃerɛbbe venire kom me a kkattʃa di lɛpri ?

English.	Italian.	Pronunciation.
My father has a shoot	Mio padre possiede una riserva	mio padre possiɛde una riserva
Is the hunting season for deer open?	La stagione per la caccia ai cervi è aperta?	la stadʒone per la kattʃa ai tʃɛrvi ɛ apɛrta?
Did you bring home a good bag?	Avete fatto buona preda?	avete fatto bwɔna prɛda?
A brace of partridges and two rabbits	Una coppia di pernici e due conigli	una kɔppja di pernitʃi e ddue koniʎʎi
Are you a good shot?	Lei è un bravo tiratore?	lɛi ɛ un bravo tiratore?
I practised target-shooting	Mi sono esercitato al tiro a segno	mi sono ezertʃitato al tiro a sseɲɲo
Did you clean your shot-gun?	Ha pulito il suo fucile da caccia?	a ppulito il suo futʃile da kkattʃa?
Have you ever shot big game?	È mai stato alla caccia grossa?	ɛ mmai stato alla kattʃa grɔssa?
Where can I buy a rifle?	Dove posso comprare una carabina?	dove pɔsso komprare una karabina?
Can you let me have some?	Mi può dare delle cartucce?	mi pwɔ dare delle kartuttʃe?

FISHING

VOCABULARY

The angler	Il pescatore alla lenza	il peskatore alla lɛntsa
The fishing-rod	La canna da pesca	la kanna da ppeska
The fishing-line	La lenza	la lɛntsa
The float	Il galleggiante	il galleddʒante
The fish-hook	L'amo	l amo
The fishing-tackle	Gli attrezzi da pesca	ʎi attrɛttsi da ppeska
The bait	L'esca	l eska

English.	Italian.	Pronunciation.
The fly	La mosca, l'esca artificiale	la moska, l eska artifitʃale
The net	La rete	la rete
The fish-pond	Il vivaio	il vivajo
The lake	Il lago	il lago
The river	Il fiume	il fjume
The stream	Il ruscello	il ruʃello
The fresh-water fish	Il pesce d'acqua dolce	il peʃe d akkwa doltʃe
The salmon	Il salmone	il salmone
The trout	La trota	la trɔta
The carp	La carpa	la karpa
The pike	Il luccio	il luttʃo
The eel	L'anguilla	l angwilla
The fisherman	Il pescatore	il peskatore
The fishing fleet	La flottiglia dei pescherecci	la flottiʎʎa dei peskerettʃi
The salt-water fish	Il pesce di mare	il peʃe di mare
The herring	L'aringa	l ariŋga
The cod	Il merluzzo	il merluttso
The tunny-fish	Il tonno	il tonno
The anchovy	L'acciuga	l attʃuga
The sardine	La sardina	la sardina
The sole	La sogliola	la ˈsɔʎʎola
The mackerel	Lo sgombro	lo zgombro

PHRASES

Do you like fishing?	Le piace la pesca?	le ppjatʃe la peska?
Do I need a licence to fish?	Bisogna avere un permesso per pescare?	bizoɲɲa avere um permesso per peskare?
Where can I buy fishing-tackle?	Dove posso comprare gli attrezzi da pesca?	dove pɔsso komprare ʎi attrettsi da ppeska?

English.	Italian.	Pronunciation.
I have forgotten to bring my fishing-rod	Mi sono dimenticato di portare la canna da pesca	mi sono dimentikato di portare la kanna da ppeska
The bait is no good	L'esca non vale niente	l eska non vale niɛnte
Did you make a good catch ?	Ha fatto buona pesca ?	a ffatto bwɔna pe-ska ?
The fish are biting quickly	I pesci abboccano	i peʃi ab'bokkano
Can you go out with the fishing fleet ?	È possibile andare coi pescatori ?	ɛ ppos'sibile andare koi peskatori ?

SWIMMING

VOCABULARY

The swimming-bath	La piscina	la piʃina
The swimming-pool	La piscina scoperta	la piʃina skopɛrta
The bathing establishment	Lo stabilimento dei bagni	lo stabilimento dei baɲni
The bathing-costume	Il costume da bagno	il kostume da bbaɲ-ɲo
The bathing-trunks	Le mutandine da bagno	le mutandine da bbaɲɲo
The bathing-towel	L'asciugatoio	l aʃugatojo
The bathing-cap	La cuffia da bagno	la kuffja da bbaɲɲo
The diving-board	Il trampolino	il trampolino
To swim	Nuotare	nwɔtare
To dive	Tuffarsi	tuffarsi
To drown	Annegare	annegare

PHRASES

Shall we have a swim ?	Facciamo una nuotata ?	fattʃamo una nwɔtata ?

English.	Italian.	Pronunciation.
Can we swim in the river ?	Si può nuotare nel fiume ?	si pwɔ nwotare nel fjume ?
No, you must go to the swimming-pool	No, bisogna andare alla piscina	no, bizɔɲɲa andare alla piʃina
No bathing	E proibito bagnarsi	ɛ pproibito baɲɲarsi
Are you a good swimmer ?	Lei è un bravo nuo-tatore ?	lɛi ɛ um bravo nwo-tatore ?
Let's swim to the opposite bank	Andiamo a nuoto fino alla riva op-posta	andjamo a nnwɔto fino alla riva op-posta ?
The current is too strong	La corrente è trop-po forte	la korrente ɛ ttrɔp-po fɔrte
Can you swim on your back ?	Lei sa nuotare sul dorso ?	lɛi sa nwotare sul dɔrso ?
He is floating	Fa il morto	fa il mɔrto
Can you do the crawl ?	Sa fare il crawl ?	sa ffare il krol ?
I have got cramp in my left calf	Ho un crampo al polpaccio sinistro	ɔ un krampo al pol-pattʃo sinistro
Swim and help him, he has gone under	Vada a nuoto in suo aiuto, è andato sotto	vada a nnwɔto in suo ajuto, ɛ an-dato sotto
He was nearly drowned	Poco mancava che annegasse	pɔko maɲkava ke annegasse
Hang on to the life-line	Si attacchi alla cor-da di sicurezza	si attakki alla kɔrda di sikurettsa
Stay in the shallow water	Resti nell'acqua bassa	resti nel akkwa bas-sa
Don't swim beyond the danger post	Non si spinga di là dal segnale di pe-ricolo	non si spiɲga di la ddal seɲɲale di pe'rikolo
The swimming-bath is only for e x p e r i e n c e d swimmers	La piscina è riser-vata ai buoni nuotatori	la piʃina ɛ rriser-vata ai bwɔni nwotatori

English.	Italian.	Pronunciation.
Is there a vacant bathing-cabin ?	C'è una cabina libera ?	tʃ ɛ una kabina ˈlibera ?
Can you recommend a pleasant seaside resort ?	Mi può suggerire il nome di qualche piacevole stazione balneare ?	mi pwɔ ssuddʒerire il nome di kwalke pjaˈtʃevole statsione balneˈare ?
I want to spend my holidays at the seaside	Desidero passare le vacanze al mare	deˈsidero passare le vakantse al mare

ROWING, BOATING

VOCABULARY

The boat	La barca	la barka
The rowing-boat	La barca a remi	la barka a rrɛmi
The boat-race	La regata	la regata
The canoe	La canoa	la kanɔa
The collapsible boat	L'imbarcazione pieghevole	l imbarkatsione pjeˈgevole
The starboard	Il tribordo	il tribordo
The port	Il babordo	il babordo
The oar	Il remo	il rɛmo
The rudder	Il timone	il timone
The sliding seat	Il seggiolino scorrevole	il seddʒolino skorˈrevole
The crew	L'equipaggio	l ekwipaddʒo
The oarsman	Il rematore	il rematore
The cox	Il timoniere	il timoˈniɛre
The stroke	Il capovoga	il kapovoga
To row	Remare	remare
To steer	Timoneggiare	timoneddʒare
To punt	Andare in chiatta	andare iŋ kjatta

PHRASES

English.	Italian.	Pronunciation.
Boats for hire	Barche a nolo	barke a nnɔlo
Come to the jetty	Venga al molo	vɛnga al mɔlo
There is a strong head wind	C'è un vento contrario molto forte	tʃ ɛ um vɛnto kontrarjo molto fɔrte
The boat has sprung a leak	Nella barca s'è aperta una falla	nella barka s ɛ aperta una falla
Let's go and watch the boat-race	Andiamo a vedere la regata	andjamo a vvedere la regata
Our club won by two lengths	Il nostro circolo ha vinto per due lunghezze	il nɔstro 'tʃirkolo a vvinto per due luŋgettse
Are you a member of a rowing club?	Lei è socio d'un circolo di cannottaggio?	lɛi ɛ sɔtʃo d un 'tʃirkolo di kannottaddʒo?
I should like to join a club	Mi piacerebbe entrare in un circolo	mi pjatʃerɛbbe entrare in un 'tʃirkolo

SAILING

VOCABULARY

The sailing	La navigazione (a vela)	la navigatsione a vvela
The yacht	Lo yacht, il battello	lo jot, il battɛllo
The sailing-boat	La barca a vela	la barka a vvela
The sail	La vela	la vela
The mast	L'albero maestro	l 'albero ma'ɛstro
The keel	La chiglia	la kiʎʎa
The flag	La bandiera, il pennone	la bandiera, il pennone
The breeze	La brezza, il vento	la breddsa, il vɛnto
The dead calm	La bonaccia	la bonattʃa
The anchor	L'ancora	l 'aŋkora
To sail	Navigare, veleggiare	navigare, veleddʒare

English.	Italian.	Pronunciation.
To cruise	Fare una crociera	fare una krotʃera
To reef	Ridurre la velatura	ridurre la velatura

PHRASES

The sailing-boat is anchored in the harbour	La barca a vela è ancorata nel porto	la barka a vvela ɛ aŋkorata nel pɔrto
There is a fresh breeze to-day; it's good sailing weather	C'è una buona brezza oggi; il tempo è adatto per la navigazione	tʃ ɛ una bwɔna breddza ɔddʒi; il tɛmpo ɛ adatto per la navigatsione
Weigh the anchor	Levate l'ancora	levate l'aŋkora
Help me hoist the sails	Aiutatemi ad issare le vele	aju'tatemi ad issare le vele
Let's spend the day on the water	Dobbiamo passare tutta la giornata sull'acqua	dobbjamo passare tutta la dʒornata sull akkwa
Have you enough grub with you?	Avete portato abbastanza poppatoria?	avete portato abbastantsa poppatɔria? (slang)
Do you know anything about sailing?	Lei se ne intende di navigazione?	lɛi se ne intɛnde di navigatsione?
We have often cruised in the Baltic	Abbiamo fatto parecchie crociere nel Baltico	abbjammo fatto parekkje krotʃere nel 'baltiko
Is this yacht seaworthy?	Questo battello tiene bene il mare?	kwesto battɛllo tjɛne bɛne il mare?
We were overtaken by the storm	Siamo stati sorpresi dalla tempesta	sjamo stati sorprɛsi dalla tempɛsta
The boat is heeling over	La barca si sta inclinando	la barka si sta iŋklinando
The boat has capsized	La barca si è capovolta	la barka si ɛ kkapovɔlta

BOXING

VOCABULARY

English.	Italian.	Pronunciation.
The boxing-match	L'incontro di box	l iŋkontro di bɔks
The wrestling-match	L'incontro di lotta	l iŋkonto di lɔtta
The boxer	Il pugilatore	il pudʒilatore
The wrestler	Il lottatore	il lottatore
The referee	L'arbitro	l 'arbitro
The champion	Il campione	il kampjone
The bantam-weight	Il peso gallo	il peso gallo
The light-weight	Il peso leggero	il peso leddʒero
The feather-weight	Il peso piuma	il peso pjuma
The middle-weight	Il peso medio	il peso mɛdjo
The heavy-weight	Il peso massimo	il peso 'massimo

PHRASES

Would you care to see the match for the heavy-weight championship?	Vi interessa assistere all'incontro per il titolo dei pesi massimi?	vi interɛssa as'sistere al iŋkontro per il 'titolo dei pesi 'massimi?
The former world champion was knocked out in the sixth round	Il precedente campione del mondo è stato messo fuori combattimento nella sesta ripresa	il pretʃedɛnte kampjone del mondo ɛ sstato messo fwɔri kombattimento nella sɛsta ripreza
Did he hit him below the belt?	Gli ha dato un colpo basso?	ʎi a ddato uŋ kolpo basso?
He floored him with a fierce upper-cut	Lo ha steso con un formidabile upper-cut	lo a sstɛso kon un formi'dabile upper-kut

English.	Italian.	Pronunciation.
He was counted out in the third round	È andato a terra per il conto finale durante le terza ripresa	ɛ andato a ttɛrra pei il konto finale durante la tertsa ripreza
Is there a match on to-night?	C'è qualche incontro stasera?	tʃ ɛ kkwalke iŋkontro stassera?
Two holders of championships are competing	Combatteranno due detentori di titoli	kombatteranno due detentori di ˈtitoli
Did Brown defend his title?	Brown ha difeso il suo titolo?	Braun a ddifeso il suo ˈtitolo?
He was pushed to the ropes and threw up the sponge	È stato costretto alla corde ed ha gettato la spugna	ɛ sstato kostrɛtto alle kɔrde ed a dʒettato la spuɲɲa
Are you an amateur boxer?	Siete un pugile dilettante?	siɛte um ˈpudʒile dilettante?

WINTER SPORTS

VOCABULARY

The skis	Gli sci	ʎi ʃi
The ski-ing outfit	L'equipaggiamento da sci	l ekwipaddʒamento da ʃi
The ski-ing jump	Il salto con gli sci	il salto kon ʎi ʃi
The skier	Lo sciatore	lo ʃiatore
The sledge	La slitta	la zlitta
The runners	I pattini della slitta	i ˈpattini della zlitta
The bobsleigh	Il bob	il bɔb
The bobrun	La pista del bob	la pista del bɔb
The toboggan	Il taboga	il tabɔga
The toboggan-slide	La pista del taboga	la pista del tabɔga
The snow plough	Lo spazzaneve	lo spattsanɛve
The snowdrift	Il mucchio di neve	il mukkjo di nɛve
The powder snow	La neve fresca	la nɛve freska

English.	Italian.	Pronunciation.
The avalanche	**La valanga**	la valaŋga
The skates	**I pattini**	i 'pattini
The skating-rink	**Il pattinaggio**	il pattinaddʒo

PHRASES

Can we hire skis here?	**È possibile avere degli sci a nolo?**	ɛ ppos'sibile avere deλλi ʃi a nnɔlo?
Is there a ski-ing instructor in the village	**C'è un maestro di sci nel paese?**	tʃ ɛ un maɛstro di ʃi nel paeze?
Have you ever done any ski-ing?	**Ha mai fatto dello sci?**	a mmai fatto dello ʃi?
No, I used to go in for bobsleighing	**No, un tempo facevo del bob**	no, un tɛmpo fatʃevo del bɔb
The snow is not good for ski-ing	**La neve non è buona per sciare**	la neve non ɛ bbwɔna per ʃiare
Where can I buy a set of skis and ski-sticks?	**Dove posso comprare un paio di sci e dei bastoni da sci?**	dove pɔsso komprare um pajo di ʃi a dei bastoni da ʃʃi?
Have you ever done any stem-turns?	**Ha mai fatto degli stembogghen?**	a mmai fatto deλλi stemboggen?
Have you ever tried the Christiania?	**Ha mai provato a fare il cristiania?**	a mmai provato a ffare il kristjanja?
Where is the ski-jump?	**Dov'e il trampolino?**	dov ɛ il trampolino?
Don't forget to wax your skis	**Non si dimentichi di dar la cera ai suoi sci**	non si di'mentiki di dar la tʃera ai swɔi ʃi
I must adjust my bindings	**Devo aggiustare le cinghie**	dɛvo addʒustare le tʃiŋgje
Shall we go up by the mountain railway and come down on the bob-sleigh?	**Dobbiamo salire in funicolare e discendere col bob?**	dobbjamo salire im funikolare e di'ʃendere col bɔb?

English.	Italian.	Pronunciation.
I don't like the crust on the snow	**Non mi piace la crosta sulla neve**	non mi pjatʃe la krosta sulla neve
Have you ever done any tobogganing ?	**Ha mai fatto del taboga ?**	a mmai fatto del tabɔga ?
The downhill run is rather steep	**La discesa è piuttosto ripida**	la diʃesa ɛ ppjuttɔsto 'ripida
Do you like skating ?	**Le piace pattinare ?**	le pjatʃe pattinare ?
Does the ice bear ?	**Resisterà il ghiaccio ?**	resiste'ra il gjattʃo ?
Get your skates and let us go to the skating-rink	**Prenda i pattini e andiamo alla sala di pattinaggio**	prɛnda i 'pattini e andjamo alla sala di pattinaddʒo
There is a performance of figure-skating	**Ci sarà uno spettacolo di pattinaggio artistico**	tʃi sa'ra uno spet'takolo di pattinaddʒo ar'tistiko
My skates are not much good for the outer edge	**I miei pattini non valgono gran cosa per fare il di fuori**	i mjɛi 'pattini non 'valgono graŋ kɔsa per fare il di fwɔri
You have not strapped your skates on well	**Non si è attaccato bene i pattini**	non si ɛ attakkato bɛne i 'pattini

MOUNTAINEERING

VOCABULARY

The high mountains	**L'alta montagna**	l alta montaɲɲa
The rock	**La roccia**	la rɔttʃa
The glacier	**Il ghiacciaio**	il gjattʃajo
The moraine	**La morena**	la morɛna
The chimney	**Il camino**	il kamino
The abyss, precipice	**L'abisso, il precipizio**	l abisso, il pretʃipitsio

English.	Italian.	Pronunciation.
The crevasse	Il crepaccio	il krepattʃo
The scree	La breccia	la brettʃa
The blizzard	La tempesta di neve	la tempɛsta di neve
The guide	La guida	la gwida
The mountaineer	L'alpinista	l alpinista
The ice-axe	La piccozza	la pikkɔttsa
The rope	La corda	la kɔrda
The ascent	La salita, l'ascesa	la salita, l aʃesa
The descent	La discesa	la diʃesa
To climb	Scalare, ascendere	skalare, aˈʃendere

PHRASES

Is there a guide in the village?	C'è una guida nel villaggio (in paese)?	tʃ ɛ una gwida nel villaddʒo (im paese)?
I should like to ascend the glacier to-morrow morning	Vorrei fare l'ascesa del ghiacciaio domani mattina	vorrei fare l aʃesa del gjattʃajo domani mattina
You must have nailed shoes	Bisogna portare delle scarpe chiodate	bizoɲɲa portare delle skarpe kjodate
Do I need a rope and an ice-axe?	Avrò bisogno della corda e della piccozza?	aˈvro bbizoɲɲo della kɔrda e ddella pikkˈɔttsa?
The ascent is very steep	La salita è molto ripida	la salita ɛ mmolto ˈripida
You have to use irons when climbing the chimney	È necessario usare i ramponi quando si dà la scalata al camino	ɛ nnetʃessarjo uzare i ramponi kwando si da la skalata al kamino
Beware of the crevasses!	Attenzione ai crepacci!	attentsione ai krepattʃi!
I am afraid we shall have to spend the night in a mountain-hut	Ho paura che dovremo passare la notte in un rifugio alpino	ɔ ppaura ke ddovremo passare la nɔtte in un rifudʒo alpino

English.	Italian.	Pronunciation.
We might lose our way in the blizzard	Potremmo perdere la strada nella tempesta di neve	potremmo 'perdere la strada nella tempesta di neve
Let us see the sunrise from the peak	Andiamo in cima alla montagna a veder sorgere il sole	andjamo in tʃima alla montaɲɲa a vve'der 'sordʒere il sole
Do you like mountaineering ?	Le piace l'alpinismo ?	le pjatʃe l alpinizmo ?
You should use your snow-goggles	Lei dovrebbe portare degli occhiali d'alpinista	lɛi dovrɛbbe portare deλλi okkjali d alpinista
Can you let me have some cream for sunburn ?	Mi può dare della pomata contro le bruciature del sole ?	mi pwɔ ddare della pomata kontro le brutʃature del sole ?
Can we get some refreshments at the alpine dairy ?	È possibile avere da mangiare e da bere nella latteria alpina ?	ɛ ppos'sibile avere da mmandʒare e da bbere nella latte'ria alpina ?

GAMES

VOCABULARY

The draughts	Il gioco della dama	il dʒɔkɔ della dama
The chess	Gli scacchi	λi skakki
The queen	La regina	la redʒina
The king	Il re	il re
The knight	Il cavallo	il kavallo
The rook	La torre	la torre
The bishop	L'alfiere	l alfjɛre
The pawn	La pedina	la pedina
The chessboard	La scacchiera	la skakkjɛra
The dice	I dadi	i dadi
The billiards	Il gioco del bigliardo	il dʒɔkɔ del biλλardo
The chalk	Il gesso	il dʒesso

F

English.	Italian.	Pronunciation.
The cue	La stecca	la stɛkka
The pocket	La buca	la buka
The game of cards	Il gioco delle carte	il dʒɔko delle karte
The player	Il giocatore	il dʒɔkatore
The dummy	Il morto	il mɔrto
The hearts	Cuori (coppe)	kwori (kɔppe)
The diamonds	Quadri (denari)	kwadri (denari)
The spades	Picche	pikke
The clubs	Fiori	fjori
The ace	L'asse	l asse
The king	Il re	il re
The queen	La regina (la donna)	la redʒina (la donna)
The knave	Il fante	il fante
The trumps	L'atout	l aˈtu
To trump	Prendere con l'atout	ˈprɛndere con l aˈtu
To shuffle	Mischiare le carte	miskjare le karte
To deal	Dare le carte	dare le karte
To cut	Tagliare	taλλare
To declare	Dichiarare	dikjarare

PHRASES

Shall we play billiards or cards?	Dobbiamo giocare al bigliardo o alle carte?	dobbjamo dʒɔkare al biλλardo o alle karte?
Have you got a new pack?	Ha un mazzo nuove di carte?	a un mattso nuɔvo di karte?
I have shuffled; it is your turn to cut	Io ho mischiato; tocca a Lei tagliare	io ɔ mmiskjato; tokka a lʃei taλλare
Your deal	Tocca a Lei distribuire	tokka a lʃei distribwire
Who will score?	Chi vuol segnare i punti?	ki vvwɔl seɲɲare i punti?
Who declares?	Chi dichiara?	ki ddikjara?
I pass	Io passo	io passo

English.	Italian.	Pronunciation.
Diamonds are trumps	I quadri sono l'a-tout	i kwadri sono l a'tu
You must follow suit	Bisogna giocare nel colore	bizoɲɲa dʒokare nel kolore
This is my trick	Questo è il mio truc-co	kwesto ɛ il mio trukko
I must discard	Devo scartare	dɛvo skartare
Don't look at my cards!	Non guardi le mie carte!	noŋ gwardi le mie karte!
Lay the cards down on the table	Metta le carte sulla tavola	metta le karte sulla 'tavola
I have lost a thousand lire at cards	Ho perduto mille lire al gioco	ɔ pperduto mille lire al dʒoko
He has gambled away his fortune	Ha perduto tutti i suoi beni al gioco	a pperduto tutti i swɔi bɛni al dʒoko

TIME

VOCABULARY

The wrist-watch	L'orologio da polso	l orolɔdʒo da ppolso
The alarm-clock	La sveglia	la zveλλa
The watchmaker	L'orologiaio	l orolodʒajo
To repair	Riparare	riparare
To be fast (slow)	Essere avanti (in-dietro)	'essere avanti (in-djɛtro)
	Avanzare, Ritardare	avantsare, ritar-dare
To set	Regolare	regolare
To get up	Alzarsi	altsarsi
To go to bed	Andare a letto	andare a lλetto
Early	Presto, di buon'ora	prɛsto, di bwɔn ora
Late	Tardi	tardi
Punctual	Puntuale	puntwale
The morning	La mattina	la mattina
The noon	Il mezzogiorno	il mɛddzodʒorno
The forenoon	La mattinata	la mattinata

F2

English.	Italian.	Pronunciation.
The afternoon	Il pomeriggio	il pomeriddʒo
The evening	La sera	la sera
The night	La notte	la nɔtte
The week	La settimana, otto giorni	la settimana, ɔtto dʒorni
The days of the week	I giorni della settimana	i dʒorni della settimana
Sunday	Domenica	do'menika
Monday	Lunedì	lune'di
Tuesday	Martedì	marte'di
Wednesday	Mercoledì	merkole'di
Thursday	Giovedì	dʒove'di
Friday	Venerdì	vener'di
Saturday	Sabato	'sabato
The date	La data	la data
The month	Il mese	il meze
January	Gennaio	dgennajo
February	Febbraio	febbrajo
March	Marzo	martso
April	Aprile	aprile
May	Maggio	maddʒo
June	Giugno	dʒuɲɲo
July	Luglio	luλλo
August	Agosto	agosto
September	Settembre	settɛmbre
October	Ottobre	ottobre
November	Novembre	novɛmbre
December	Dicembre	ditʃɛmbre
The spring	La primavera	la primavɛra
The summer	L'estate	l estate
The autumn	L'autunno	l autunno
The winter	L'inverno	l imvɛrno
The public holiday	Il giorno di festa	il dʒorno di fɛsta
Christmas	Natale	natale
Easter	Pasqua	paskwa
Whitsun	Pentecoste	pentekɔste
The second	Il secondo	il sekondo

English.	Italian.	Pronunciation.
The minute	**Il minuto**	il minuto
The hour	**L'ora**	l ora
The moon	**La luna**	la luna
The sun	**Il sole**	il sole
The star	**La stella**	la stella

PHRASES

Can you tell me the right time ?	**Mi sa dire l'ora giusta ?**	mi sa ddire l ora dʒusta ?
Is your watch right ?	**È giusto il suo orologio ?**	ɛ dʒusto il suo orolodʒo ?
It is ten minutes fast	**È avanti di dieci minuti**	ɛ avanti di djɛtʃi minuti
It is a quarter of an hour slow	**È indietro di un quarto d'ora**	ɛ indjɛtro di un kwarto d ora
It always keeps good time	**È sempre esatto**	ɛ sɛmpre ezatto
What time is it ?	**Che ore sono ?**	ke ore sono ?
	Che ora è ?	ke ora ɛ ?
It is eight o'clock	**Sono le otto**	sono le ɔtto
It is five minutes past eight	**Sono le otto e cinque**	sono le ɔtto e ttʃiŋkwe
It is a quarter-past eight	**Sono le otto e un quarto**	sono le ɔtto e uŋ kwarto
Half-past eight	**Le otto e mezza**	le ɔtto e mmɛddza
A quarter to nine	**Le nove meno un quarto**	le nɔve meno uŋ kwarto
It is twenty past twelve (p.m.)	**È mezzogiorno e venti**	ɛ mɛddzodʒorno e vɛnti
It is one o'clock	**È l'una. È il tocco**	ɛ l una, ɛ il tokko
Eight a.m.	**Le otto del mattino**	le ɔtto del mattino
Eight p.m.	**Le otto di sera. Le venti**	le ɔtto di sera, le vɛnti
It is twelve midnight	**È mezzanotte**	ɛ mɛddzanɔtte
My train leaves at two-thirty	**Il mio treno parte alle due e trenta**	il mio trɛno parte alle due ɛ trenta

English.	Italian.	Pronunciation.
You will have to be at the station half an hour before hand	Bisognerà essere alla stazione con mezz'ora d'anticipo	bizoŋŋe'ra 'essere alla statsione kon mɛddz ora d an-'titʃipo
Don't be late !	Non arrivi troppo tardi !	non arrivi trɔppo tardi !
I shall be in time	Arriverò in tempo Sarò puntuale	arrive'rɔ in tempo sa'rɔ ppuntwale
It is time to get up (to go to bed)	È ora di alzarsi (di andare a letto)	ɛ ora di altsarsi (di andare a llɛtto)
Hurry up, it is half-past seven	Faccia presto. Sono le sette e mezza	fattʃa prɛsto. sono le sɛtte e mɛd-dza
My watch has stopped	Il mio orologio è fermo	il mio orolɔdʒo ɛ ffermo
I must take my watch to the watchmaker	Devo portare il mio orologio dall'orologiaio	dɛvo portare il mio orolɔdʒo dal oro-lodʒajo
It needs cleaning	Ha bisogno di essere pulito	a bbizoŋŋo di 'ɛs-sere pulito
The glass is cracked	Il vetro è rotto	il vetro ɛ rrotto
The spring is broken	La molla è rotta	la mɔlla ɛ rrotta
Set your watch by the station clock	Regoli il suo orologio con quello della stazione	'regoli il suo oro-lɔdʒo koŋ kwello della statsione
Next week there will be a concert	La settimana ventura cì sarà un concerto	la settimana ven-tura tʃi sa'ra uŋ kontʃerto
I shall be back in a week's time.	Sarò di ritorno fra una settimana (fra otto giorni)	sa'rɔ ddi ritorno fra una settima-na (fra ɔtto dʒor-ni)
A fortnight ago I was in London	Quindici giorni fa ero a Londra	'kwinditʃi dʒorni fa ɛro a llondra
It gets dark very early	Fa buio molto presto	fa bbujo molto prɛ-sto

English.	Italian.	Pronunciation.
What is the date to-day?	Quanti ne abbiamo oggi?	kwanti ne abbjamo ɔddʒi?
To-day is the fifteenth of September	Oggi è il quindici settembre	ɔddʒi ɛ il ˈkwinditʃi settɛmbre
My birthday is on the tenth of October	Il mio compleanno è al dieci di ottobre	il mio kompleˈanno ɛ al djɛtʃi di ottobre
Are you travelling this year?	Fa qualche viaggio quest'anno?	fa kkwalke vjaddʒo kwest anno?
I came back the day before yesterday	Sono tornato avantieri	sono tornato avantjɛri
I shall be leaving again to-morrow (the day after to-morrow, next week)	Ripartirò domani (dopodomani, la settimana ventura)	ripartiˈrɔ ddomani (dopodomani, la settimana ventura)
Don't arrive at the last minute	Non arrivi all'ultimo momento	non arrivi all ˈultimo momento
One moment please	Un momento, per favore	un momento, per favore
At dawn	All'alba	all alba
At dusk	Sull'imbrunire	sull imbrunire
Last year was a leap year	Lo scorso anno era bisestile	lo skorso anno ɛra bisestile
Can you spare me a moment?	Mi può concedere un minuto del suo tempo?	mi pwɔ kkonˈtʃɛdere un minuto del suo tempo?
I have no time	Non ho tempo	non ɔ ttɛmpo
He left long ago	È partito molto tempo fa	ɛ ppartito molto tɛmpo fa
How old are you?	Quanti anni ha Lei?	kwanti anni a llɛi?
I was thirty-six in January	Ho compiuto i trentasei anni in gennaio	ɔ kkompjuto i trentasɛi anni in dʒennajo

WEATHER
VOCABULARY

English.	Italian.	Pronunciation.
The climate	Il clima	il klima
The weather	Il tempo	il tɛmpo
The air	L'aria	l 'aria
The heat	Il calore, il caldo	il kalore, il kaldo
The cold	Il freddo	il freddo
The rain	La pioggia	la pjɔddʒa
The snow	La neve	la neve
The sunshine	Il sole	il sole
The sky	Il cielo	il tʃɛlo
The cloud	La nube, la nuvola	la nube, la 'nuvola
The thunderstorm	Il temporale	il temporale
The thunder	Il tuono	il twɔno
The lightning	Il fulmine, il lampo	il 'fulmine, il lampo
The hail	La grandine	la 'grandine
The ice	Il ghiaccio	il gjattʃo
The gale	La burrasca	la burraska
The wind	Il vento	il vɛnto
The breeze	La brezza	la breddza
The fog, mist	La nebbia	la nebbja
Fine	Bello	bɛllo
Bad	Cattivo	kattivo
Cold	Freddo	freddo
Warm	Caldo	caldo
Hot	Molto caldo	molto kaldo
It is freezing	Gela	dʒɛla
It is snowing	Nevica	'nevika
It is raining	Piove	pjɔve

PHRASES

What is the weather like ?	Come è il tempo ?	kome ɛ il tɛmpo ?
It is fine	Fa bello. Fa bel tempo	fa bbɛllo. fa bbɛl tɛmpo

English.	Italian.	Pronunciation.
It is a lovely day	È una magnifica giornata	ɛ una maɲ'ɲifika dʒornata
The weather is beautiful (dull)	Il tempo è splendido (coperto)	il tɛmpo ɛ 'ssplendido (kkopɛrto)
The weather is changeable	Il tempo è veriabile	il tɛmpo ɛ vvarja-'bile
The weather is settled	Il tempo è stabilito al bello	il tɛmpo ɛ sstabilito al bɛllo
It is hot (cold)	Fa caldo (freddo)	fa kkaldo (freddo)
It is rainy, foggy	Fa un tempo piovoso, c'è nebbia	fa un tɛmpo pjovoso, tʃ ɛ nnebbja
It is very oppressive	È afoso. Che soffoco!	ɛ afoso. ke 'ssoffoko!
Do you think the weather will remain fine?	Crede che il tempo si manterrà bello?	krede ke il tɛmpo si manter'ra bɛllo?
The wind is cold	Il vento è freddo	il vɛnto ɛ ffreddo
It is stormy	C'è aria di temporale	tʃ ɛ 'aria di temporale
The wind has dropped	Il vento è scemato	il vɛnto ɛ fɛmato
It is raining in torrents (cats and dogs)	Piove a dirotto	pjove a ddirotto
	Piove a catinelle	pjove a kkatinɛlle
It is pouring	Piove a rovescio	pjove a rrovɛʃo
	Piove come Dio la manda	pjove kome dio la mmanda
I am wet through	Sono bagnato fradicio	sono baɲɲato 'fradiitʃo
Where are my galoshes and umbrella?	Dove sono le mie soprascarpe di gomma e l'ombrello?	dove sono le mie sopraskarpe di gomma e ll ombrɛllo?
Take a mackintosh	Prenda un impermeabile	prɛnda un imperme'abile
Will there be a thunderstorm?	Verrà il temporale?	ver'ra il temporale?

English.	Italian.	Pronunciation.
It is thundering and lightning	Tuona e lampeggia	twɔna e llamped-dʒa
The sky is overcast	Il cielo è coperto	il tʃɛlo ɛ kkopɛrto
The sky is clear	Il cielo è sereno	il tʃɛlo ɛ ssereno
It's too sunny here, let us sit in the shade	Qui c'è troppo sole, andiamo a seder-ci all'ombra	kwi tʃ ɛ ttrɔppo sole, andjamo a sseder-tʃi all ombra
It is getting cold	Comincia a far fred-do	komintʃa a ffar freddo
Are you cold ?	Ha freddo ?	a ffreddo ?
I feel hot	Ho caldo	ɔ kkaldo
I am sweating, I cannot stand the heat	Io sudo. Non posso sopportare il cal-do	io sudo. nom pɔsso sopportare il kaldo
How many degrees is it on the ther-mometer ?	Quanti gradi segna il termometro ?	kwanti gradi seɲɲa il ter'mɔmetro ?
It has gone up to 22 degrees	Il termometro è sa-lito fino a 22 gradi	il ter'mɔmetro ɛ ssalito fino ə vventidue gradi
The glass is rising (falling)	Il barometro sale (scende)	il ba'rɔmetro sale (ʃende)
It indicates fine weather	Promette bel tempo	promette bɛl tɛmpo
It is ten degrees of frost	Sono dieci gradi sot-to zero	sono djɛtʃi gradi sotto dzɛro
It is freezing hard	Gela da spaccar le pietre	dʒela da sspak'kar le pjɛtre
It is thawing	Si sta sciogliendo il ghiaccio ?	si sta ʃɔʎʎɛndo il gjattʃo ?
It is very slippery, be careful	Si scivola, stia at-tento !	si 'ʃivola, stia at-tɛnto !

PAYING A CALL, GREETINGS, REQUESTS, EXPRESSIONS OF THANKS, OF REGRET, APOLOGIES, ENQUIRIES

VOCABULARY

English.	Italian.	Pronunciation.
The visit, call	La visita	la ˈvizita
The invitation	L'invito	l invito
The appointment	L'appuntamento	l appuntamento
The party	La festa	la fɛsta
The conversation	La conversazione	la komversatsione
The talk, chat	La chiacchierata	la kjakkjerata
The reception	Il ricevimento	il ritʃevimento
The visiting-card	Il biglietto da visita	il biʎʎetto da ˈvvizita
To invite	Invitare	invitare
To visit, call on	Far visita a . . .	far ˈvizita a . . .
To ring the bell	Suonare il campanello	swonare il kampanɛllo
To arrive	Arrivare	arrivare
To be punctual	Essere puntuale	ˈɛssere puntwale
To be late	Essere in ritardo	ˈɛssere in ritardo
To welcome	Dare il benvenuto	dare il bemvenuto
To expect	Aspettare	aspettare
To meet	Incontrare	inkontrare
To introduce	Presentare	prezentare
To say good-bye	Salutare	salutare

PAYING A CALL

Did you ring the bell?	Ha suonato il campanello?	a sswonato il kampanɛllo?
Is Mrs. Brown at home?	È in casa la signora?	ɛ in kasa la siɲɲora?
Come in	S'accomodi	s akˈkɔmodi
Mrs. Smith wishes to speak to you	La Signora Rossi desidera parlarle	la siɲɲora rossi deˈsidera parlarle

English.	Italian.	Pronunciation.
Show the visitor in	Faccia entrare la signora (il signore, la signorina)	fattʃa entrare la siɲɲora (il siɲɲore, la siɲɲorina)
I am very pleased to see you	Sono tanto contento di vederla	sono tanto kontento di vederla
It is a great pleasure to me	Mi fa tanto piacere	mi fa tanto pjatʃere
The pleasure is mine	Il piacere è tutto mio	il pjatʃere ɛ ttutto mio
Thank you for your kind invitation	La ringrazio del suo gentile invito	la ringratsjo del suo dʒentile invito
It was very kind of you to invite me	È ben gentile da parte sua d'avermi invitato	ɛ bben dʒentile da pparte sua d avermi invitato
You are very kind	Lei è molto gentile	lɛi ɛ mmolto dʒentile
My parents send their kind regards	I miei genitori Le mandano tanti cordiali saluti	i mjɛi dʒenitori le 'mandano tanti kordjali saluti
Am I late (early) ?	Sono in ritardo ? Sono arrivato troppo presto ?	sono in ritardo ? sono arrivato troppo prɛsto ?
May I introduce my husband ?	Posso presentarle mio marito ?	pɔsso prezentarle mio marito ?
Here are my son and daughter	Ecco i miei figli	ɛkko i mjɛi fiʎʎi
Please sit down	S'accomodi (Si segga)	s ak'kɔmodi (si segga)
Have some tea and cake	Vuol prendere una tazza di tè e una fetta di torta ?	vwɔl 'prɛndere una tattsa di tɛ e una fetta di torta ?
Please help yourself	La prego di servirsi	la prɛgo di servirsi
Please stay to dinner (supper)	La prego di restare a pranzo (cena) con noi	la prɛgo di restare a pprantso (tʃena) kon noi

English.	Italian.	Pronunciation.
Next time you must stay with us	Un'altra volta Lei dovrà passare qualche giorno in casa nostra	un altra vɔlta lei do'vra ppassare kwalke dʒorno iŋ kasa nɔstra
Can you put me up?	Potrebbe offrirmi un letto per questa sera?	potrɛbbe offrirmi un lɛtto per kwesta sera?
I am sorry to say I must go	Mi rincresce tanto, ma io me ne devo andare	mi riŋkreʃe tanto, ma io me ne dɛvo andare
Do stay a little longer	La prego di rimanere ancora un poco	la prɛgo di rimanere aŋkora um pɔko
I am sorry, I cannot stay any longer	Mi dispiace, ma non posso proprio trattenermi di più	mi ddispjatʃe ma nnon pɔsso proprio trattenermi di pju
I must not miss my train	Non devo perdere il treno	non dɛvo 'perdere il trɛno
I hope you will come again soon	Spero che ritornerà presto	spɛro ke rritornɛ'ra prɛsto
Come whenever you like	Venga quando vuole	vɛŋga kwandɔ vwɔle
Many thanks for your hospitality	La ringrazio tanto della sua ospitalità	la riŋgratsio tanto della sua ospitali'ta
Give my love to your parents	Tanti saluti ai suoi genitori	tanti saluti ai swɔi dʒenitori
Will you meet me for lunch to-morrow?	Vuole che ci troviamo domani per far colazione insieme?	vwɔle ke ttʃi troviamo domani per far kolatsione insjɛme
Sorry, I have a prior engagement	Mi rincresce, ma sono impegnato	mi riŋkreʃe, ma ssono impeɲato
I have nothing on the day after tomorrow	Dopodomani sono libero	dopodomani sono 'libero

G

GREETINGS

English.	Italian.	Pronunciation.
Good morning, good day	Buon giorno	bwɔn dʒorno
Good evening, good night	Buona sera, buona notte	bwɔna sera, bwɔna nɔtte
How do you do? (on being introduced)	Piacere	pjatʃere
How are you?	Come sta?	kome sta?
Very well thank you, and you?	Benissimo, grazie. E Lei?	be'nissimo, gratsie'e llɛi?
I have not seen you for a long time	È tanto tempo che non La vedo	ɛ ttanto tempo ke nnon la vɛdo
What a surprise to see you!	Che sorpresa vederla qui!	ke ssorpresa vederla kwi
We must keep in touch	Non dobbiamo più perderci di vista	non dɔbbjamo pju 'pperdertʃi dj vista
Good-bye, see you again soon	Arrivederla (to elders or superiors); Arrivederci (to equals), ci rivedremo presto	arrivederla; arrivedertʃi, tʃi rivedremo prɛsto
Pleasant journey	Buon viaggio	bwɔm viaddʒo
Good luck!	Buona fortuna!	bwɔna fortuna!
Keep well	Stia bene	stia bɛne
Don't forget us	Non ci dimentichi	non tʃi di'mentiki

REQUESTS

A cup of coffee, please	Una tazza di caffè e latte per piacere	una tattsa di kaf'fɛ e llatte per pjat-ʃere
A cup of black coffee	Una tazza di caffè (nero)	una tattsa di kaf-'fɛ (nero)

English.	Italian.	Pronunciation.
May I trouble you for a match (a light)?	Per favore, mi vuol dare un fiammifero (un po' di fuoco)?	per favore mi vwɔl dare un fjam-'mifero (um pɔ di fwɔko)?
May I ask you a favour?	Le posso chiedere un favore?	le pɔsso 'kjɛdere un favore?
Certainly!	Anche due!	aŋke due!
Would you be good enough to post me this letter?	Vuol essere tanto gentile da imbucarmi questa lettera?	vwɔl 'ɛssere tanto dʒentile da imbukarmi kwesta 'lɛttera
Will you do me a favour?	Mi vuol fare un piacere?	mi vvwɔl fare um pjatʃɛre?
I have a request to make	Ho da chiederle una cosa	ɔ dda 'kkjɛderle una kɔsa
I don't want to be disturbed	Non voglio essere disturbato	non vɔλλo 'ɛssere disturbato
She asks for help	Essa chiede un aiuto	essa kjɛde un ajuto
I wish I were at home	Vorrei essere a casa mia	vorrɛi 'ɛssere a kkasa mia
Would you assist me?	Vuol aiutarmi?	vwɔl ajutarmi?
Your request will be granted	La vostra preghiera sarà esaudita	la vɔstra pregjɛra sa'ra ezaudita
May I open the window?	Posso aprire la finestra?	pɔsso aprire la finɛstra?
Do you mind if I close the door?	Le rincresce se chiudo la porta?	le rinkreʃe se kkjudo la pɔrta?
May I apply for the job?	Posso presentarmi (fare domanda) per quel lavro?	pɔsso prezentarmi (fare domanda) per kwel lavoro?
I should like to hear opinion	Mi piacerebbe avere la sua opinione	mi pjatʃerɛbbe avere la sua opinjone
What do you want?	Che cosa desidera?	ke kkɔsa de'sidera?
Don't bother	Non si disturbi	non si disturbi

THANKS

English.	Italian.	Pronunciation.
Thank you, thanks	Grazie, La ringrazio	gratsie, la ringratsio
Many thanks	Tante grazie	tante gratsie
I am very grateful to you	Le sono molto riconoscente (grato)	le sono molto rikonoʃente (grato)
I am very much obliged to you	Le sono molto obbligato	le sono molto obbligato
I am deeply indebted to you	Le sono debitore di molto	le sono debitore di molto
You are very kind	Lei è molto gentile	lɛi ɛ mmolto dʒentile
You have done me a great favour	Lei mi ha fatto un gran favore	lɛi mi a ffatto uŋ gran favore
I wish I could repay you	Vorrei poter contraccambiare	vorrɛi po'ter kontrakkambjare
Pray accept my sincere thanks	La prego di accettare i miei più sentiti ringraziamenti	la prɛgo di attʃettare i mjɛi pju ssentiti riŋgratsiamenti
I should like to thank you for your present	Desidero ringraziarla del suo regalo	de'sidero ringratsiarla del suo regalo

REGRETS, APOLOGIES

I am very sorry you are ill	Mi rincresce tanto che (Lei) sia ammalato	mi rriŋkreʃe tanto ke (llei) sia ammalato
I am sorry for you	Mi dispiace molto per Lei	mi dispjatʃe molto per lɛi
I regret the misunderstanding	Mi rincresce che ci sia stato un malinteso	mi rriŋkreʃe ke ttʃi sia stato un malintezo

English.	Italian.	Pronunciation.
May I express my regrets?	Posso esprimerle tutto il mio rincrescimento?	pɔsso e'sprimerle tutto il mio riŋkreʃimento?
It is very regrettable	È veramente peccato	ɛ vveramente pekkato
I am sorry you did not come to see me	Mi dispiace che Lei non sia venuto a trovarmi	mi dispʃatʃe ke llɛi non sia venuto a ttrovarmi
Let me express my sympathy (condolences)	Mi permetta di farle le mie condoglianze	mi permetta di farle le mie kondoʎʎantse
Excuse me. I am sorry	Scusi. Mi rincresce	skusi. mi rinkreʃe
I beg your pardon (when one has not understood)	Come? Come ha detto?	kome? kome a ddetto?
I beg your pardon	Le chiedo scusa	le kjɛdo skuza
Please forgive me	La prego di scusarmi (di perdonarmi)	la prɛgo di skuzarmi (di perdonarmi)
I did not want to hurt your feelings	Non volevo offenderla	non volevo of'fenderla
It was not my fault	Non è stata colpa mia	non ɛ sstata kolpa mia
I did not do it on purpose	Non l'ho fatto apposta	non l ɔ ffatto apposta
Don't be angry	Non vada in collera	non vada iŋ 'kollera
Please don't take it amiss	La prego di non prendersela a male	la prɛgo di nom 'prendersela a mmale
Don't think me rude (impolite)	Non mi creda così maleducato	non mi kreda ko'si mmaledukato
Please put it down to my ignorance	Lo attribuisca alla mia ignoranza	lo attribwiska alla mia iɲɲorantsa

ENQUIRIES

English.	Italian.	Pronunciation.
Where is the station?	Dov'è la stazione?	dov ɛ la statsione?
Can you direct me to the post office?	Mi vuole indicare la strada per andare alla posta?	mi vwɔle indikare la strada per andare alla pɔsta?
Is this the way to the station?	È questa la strada per la stazione?	ɛ kkwesta la strada per la statsione?
Is there a bus stop near here?	C'è la fermata dell'autobus (della corriera) qui vicino?	tʃ ɛ la fermata del'autobus (della korrjɛra) kwi vvitʃino?
Where is the booking office?	Dov'è la biglietteria? (lo spaccio dei biglietti)	dov ɛ la biʎʎetteria? (lo spattʃo dei biʎʎetti)
Where can I change money?	Dove posso cambiare del denaro?	dove pɔsso kambjare del denaro?
Where can I leave my luggage?	Dove posso lasciare il mio bagaglio?	dove pɔsso laʃare il mio bagaʎʎo?
Can you get me a taxi?	Mi può chiamare un tassì, per piacere?	mi pwɔ kjamare un tas'si, per pjatfere?
Where is the best hotel?	Dov'è il migliore albergo?	dov ɛ il miʎʎore albergo?
Can I have a room for the night?	Posso avere una camera per questa notte?	pɔsso avere una 'kamera per kwesta nɔtte?
Where is the lift?	Dov'è l'ascensore?	dov ɛ ll aʃensore?
Are there any letters for me?	C'è della posta per me?	tʃ ɛ ddella pɔsta per me?
Where can I telephone?	Dov'è un telefono?	dov ɛ un te'lɛfono?
Where does Mr. X live?	Dove abita il Signor X?	dove 'abita il siɲ'ɲor iks?
Does Mr. Y live here?	Abita qui il Signor Y?	'abita kwi il siɲ'ɲor 'ipsilon?

English.	Italian.	Pronunciation.
Has somebody called?	È venuto qualcuno?	ɛ vvenuto kwalkuno?
Has anyone called?	È venuto nessuno?	ɛ vvenuto nessuno?
Was there a telephone message for me?	Mi ha telefonato nessuno?	mi ha ttelefonato nessuno?
Can you give me any information?	Mi può dare qualche informazione?	mi pwɔ ddare kwalke informatsione?

PUBLIC NOTICES

Look out!	Attenzione!	attentsione!
Mind the step!	Attenzione al gradino!	attentsione al gradino!
Danger. High-tension current	Pericolo. Corrente ad alta tensione	peˈrikolo. Korrɛnte ad alta tensjone
Private property. No admittance	Proprietà privata. Divieto d'ingresso	proprjeˈta privata. divjeto d iŋgrɛsso
Keep off the grass	È vietato camminare sull'erba	ɛ vvjetato kamminare sull ɛrba
Trespassers will be prosecuted	I contravventori saranno puniti a termine di legge	i kontravventori saranno puniti a ˈttɛrmine di leddʒe
Beware of the dog!	Attenti al cane!	attɛnti al kane!
Beware of pickpockets	Attenti ai borsaioli	attɛnti ai bɔrsajɔli
No hawkers	Non desideriamo venditori ambulanti	non desiderjamo venditori ambulanti
You may telephone from here	Qui si può telefonare	kwi si pwɔ ttelefonare
Entrance	Entrata	entrata
Exit; way out	Uscita	uʃita
Emergency exit	Uscita di sicurezza	uʃita di sikurettsa

English.	Italian.	Pronunciation.
Push	Spingere	ˈspindʒere
Pull	Tirare	tirare
Road up	Strada in riparazione	strada in riparatsione
Keep to the right	Tenere la destra	tenere la dɛstra
Drive slowly	Rallentare	rallentare
Diversion	Deviazione	deviatsione
No thoroughfare	Strada chiusa	strada kiuza
One-way street	Senso unico	sɛnso ˈuniko
Main road ahead	Attenzione! Strada di grande comunicazione	attentsione! strada di grande komunikatsione
No smoking	Vietato fumare	vjetato fumare

NEWSPAPERS, BOOKS

VOCABULARY

The newspaper	Il giornale, il quotidiano	il dʒornale, il kwotidjano
The bookstall	Il chiosco	il kjɔsko
The newspaper vendor	Il venditore di giornali	il venditore di dʒornali
The periodical	Il periodico	il periˈɔdiko
The technical (professional) journal	Il giornale tecnico (professionale)	il dʒornale ˈtɛkniko (professionale)
The illustrated paper	Il giornale illustrato	il dʒornale illustrato
The monthly journal	La rivista mensile	la rivista mensile
The family journal	La rivista per famiglia	la rivista per famiʎʎa
The trade journal	La rivista commerciale	la rivista kommertʃale
The fashion paper	Il giornale di mode	il dʒornale di mɔde
The advertisement	L'annuncio	l annuntʃo

English.	Italian.	Pronunciation.
The leader	L'articolo di fondo	l ar'tikolo di fondo
The column	La colonna	la kolonna
The volume	Il volume	il volume
The edition	L'edizione	l editsione
The print	La stampa	la stampa
The binding	La rilegatura	la rilegatura
The publisher	L'editore	l editore
The editor	Il redattore	il redattore
The poet	Il poeta	il po'ɛta
The author	L'autore	l autore
To print	Stampare	stampare
To read	Leggere	'lɛddʒere

PHRASES

Has the morning paper come yet ?	È arrivato il giornale del mattino ?	ɛ arrivato il dʒornale del mattino ?
Can you get me an evening paper ?	Mi può procurare un giornale della sera ?	mi pwɔ pprokurare un dʒornale della sera ?
Are these the latest periodicals ?	Sono questi gli ultimi periodici ?	sono kwesti ʎi 'ultimi peri'ɔditʃi ?
Have you read the leading article ?	Ha letto l'articolo di fondo ?	a llɛtto l ar'tikolo di fondo ?
What is the news ?	Che notizie ci sono ?	ke nnotittsie tʃi ssono ?
Please let me have a weekly paper	Mi dia un giornale settimanale, per piacere	mi dia un dʒornale settimanale, per pjatʃere
Let me have a comic paper, please	Mi dia un giornale umoristico, per piacere	mi dia un dʒornale umo'ristiko, per pjatʃere
Do you stock English papers ?	Avete dei giornali inglesi ?	avete dei dʒornali iŋglesi ?
Could you lend me your paper for five minutes ?	Mi potrebbe imprestare il suo giornale per cinque minuti ?	mi potrɛbbe imprestare il suo dʒornale per tʃiŋke minuti ?

English.	Italian.	Pronunciation.
Have you seen the advertisements?	Ha letto gli annunci?	a lletto ʎi annuntʃi?
Could you get me a fashion paper?	Mi potrebbe procurare un giornale di mode?	mi potrebbe prokurare un dzornale di mɔde?
Have you got a map of Milan?	Ha una pianta di Milano?	a una pjanta di milano?
Can you recommend a good guide-book?	Mi può suggerire una buona guida di Milano?	mi pwɔ ssuddʒerire una bwɔna gwida di milano?
I want an edition of the *Divine Comedy* in three books	Desidero un'edizione della *Divina Commedia* in tre volumi	deˈsidero un editsione della divina komˈmɛdia in tre volumi
Have you a good Italian novel?	Ha qualche buon romanzo italiano?	a kkwalke bwɔn romandzo italiano
Please show me some books on Italian art	Per favore, mi faccia vedere dei libri d'arte italiana	per favore, mi fattʃa vedere dei libri d arte italiana
Have you a bound copy?	Ha una copia rilegata?	a una kɔpja rilegata?
This book is out of print	Questo libro è fuori stampa	kwesto libro ɛ ffuori stampa
Can you recommend a book by a modern author?	Mi sa suggerire un libro d'un autore moderno?	mi sa ssuddʒerire un libro d uɲ autore modɛrno
I want a good Italian–English pocket dictionary	Desidero un buon vocabolario tascabile italiano–inglese	deˈsidero um bwɔɲ vokabolarjo taˈskabile italiano iŋglese
Have you a lending-library?	Avete una biblioteca circolante?	avete una biblioteka tʃirkolante?

THE HOUSE

VOCABULARY

English.	Italian.	Pronunciation.
The flat	L'appartamento	l appartamento
The storey	Il piano	il pjano
The cellar	La cantina	la kantina
The attic	La soffitta	la soffitta
The roof	Il tetto	il tetto
The ground floor	Il pianterreno	il pianterreno
The wall	Il muro, la parete	il muro, la parete
The window	La finestra	la finɛstra
The door	La porta	la pɔrta
The key	La chiave	la kjave
The room	La stanza	la stantsa
The floor	Il pavimento	il pavimento
The ceiling	Il soffitto	il soffitto
The drawing-room	Il salone, il salotto	il salone, il salɔtto
The dining-room	La sala da pranzo	la sala da pprantso
The study	Lo studio	lo studjo
The bedroom	La camera (da letto)	la 'kamera (da llɛtto)
The dressing-room	Lo spogliatoio	lo spoʎʎatɔjo
The nursery	La stanza dei bambini	la stantsa dei bambini
The bathroom	La stanza da bagno	la stantsa da bbaɲɲo
The bath	Il bagno, la vasca	il baɲɲo, la vaska
The wash-basin	La bacinella	la batʃinɛlla
The lavatory	Il gabinetto	il gabinetto
The stairs	Le scale	le skale
The banisters	La ringhiera	la riŋgjɛra
The furniture	La mobilia, i mobili	la mo'bilia, i 'mɔbili
The lamp	La lampada	la 'lampada
The stove	La stufa	la stufa
The curtains	Le tende	le tɛnde
The blind	La persiana	la persjana

English.	Italian.	Pronunciation.
The carpet	Il tappeto	il tappɛto
The table	La tavola	la 'tavola
The chair	La sedia	la 'sɛdia
The looking-glass	Lo specchio	lo spɛkkjo
The sideboard	La credenza	la kredɛntsa
The bell	Il campanello	il kampanɛllo
The bed	Il letto	il lɛtto
The bedside table	Il comodino	il komodino
The pillow	Il guanciale	il gwantʃale
The blanket	La coperta	la kopɛrta
The quilt	Il coltrone	il koltrone
The sheet	Il lenzuolo	il lentswɔlo
The kitchen	La cucina	la kutʃina
The kitchen range	La cucina economi-ca	la kutʃina ekoˈnɔ-mika
The gas cooker	Il fornello a gas	il fornɛllo a ggaz
The electric cooker	Il fornello elettrico	il fornɛllo eˈlɛttriko
The saucepan	La pentola, la cas-seruola	la 'pentola la kas-serwɔla
The pan	La padella	la padɛlla
The tea-kettle	Il bricco	il brikko
The gas-meter	Il contatore del gas	il kontatore del gaz
The pantry	La dispensa	la dispɛnsa
The cook	Il cuoco, la cuoca	il kwɔko, la kwɔka
To live	Abitare, vivere	abitare, 'vivere
To move	Traslocare, fare tra-sloco	trazlokare, fare tra-zlɔko
To rent	Prendere in affitto	prɛndere in affitto
To let	Affittare	affittare

PHRASES

Rooms to let	Camere da affittare	'kamere da affit-tare
Have you taken a furnished flat ?	Ha affittato un ap-partamento mo-bigliato ?	a affittato un ap-partamento mo-biʎʎato ?

English.	Italian.	Pronunciation.
I want a furnished room with the use of the kitchen	Desidero una camera ammobigliata con l'uso della cucina	de'sidero una 'kamera ammobiλλata kon l uzo della kutʃina
Where do you live ?	Dove abita ?	dove 'abita ?
I live on the second floor	Abito al secondo piano	'abito al sekondo pjano
I live on the top floor	Abito all'ultimo piano	'abito all'ultimo pjano
Are you upstairs ?	È di sopra ?	ɛ ddi sopra ?
I want an airy and spacious room	Desidero una camera ariosa e grande	de'sidero una 'kamera arjosa e ggrande
I am looking for a bed-sitting room	Cerco una camera-salotto	tʃerko una 'kamera-salotto
I need a writing-desk and a book-case	Ho bisogno di una scrivania e di uno scaffale per i libri	ɔ bbizoɲɲo di una skriva'nia e di uno skaffale per i libri
Can you give me another blanket and pillow ?	Mi può dare ancora una coperta e un'altro guanciale ?	mi pwɔ ddare aɲkora una kopɛrta e un altro gwantʃale ?
Is there a wardrobe and a chest of drawers in the bedroom ?	C'è un armadio e un cassettone nella camera ?	tʃ ɛ un armadjo e un kassettone nella 'kamera ?
Is the bed comfortable ?	È comodo il letto ?	ɛ 'kkɔmodo il lɛtto ?
I do not like the mattress	Non mi piace questo matterasso	non mi pjatʃe kwesto matterasso
It is too hard	È troppo duro	ɛ ttrɔppo duro
Save light !	Fate economia di luce !	fate ekono'mia di lutʃe !
May I switch on the light ?	Posso accendere la luce ?	posso a'ttʃendere la lutʃe ?

English.	Italian.	Pronunciation.
The lamp on the bedside table is broken	La lampadina sul comodino è fulminata	la lampadina sul komodino ɛ ffulminata
Could I have a new bulb?	Potrei avere una lampadina nuova?	potrɛi avere una lampadina nwɔva?
Can I have a bath?	Posso fare un bagno?	pɔsso fare um baɲɲo?
Where is the maid?	Dov'è la cameriera?	dov ɛ lla kamerjɛra?
She is in the kitchen	È in cucina	ɛ in kutʃina
When is dinner?	A che ora è il pranzo?	a kke ora ɛ il prantso?
	A che ora si mangia?	a kke ora si mandʒa?
Can you keep lunch for me?	Vuol essere così gentile da tenermi la colazione?	vwɔl 'essere ko'si dʒentile da ttenɛrmi la kolatsione?
The table in the dining-room is laid	La tavola in sala da pranzo è apparecchiata	la 'tavola in sala da pprantso ɛ apparekkjata
Bring another chair	Porti un'altra sedia	pɔrti un altra 'sedia
Come into the drawing-room	Venga in salotto	vɛnga in salɔtto
Take this easy-chair	S'accomodi in questa poltrona	s ak'kɔmodi in kwesta poltrona
Where is the latch-key?	Dov'è la chiave?	dov ɛ lla kjave?
In the lock	Nella serratura	nella serratura
What is the monthly rent of this flat?	Quanto è l'affitto mensile di questo appartamento?	kwanto ɛ ll affitto mensile di kwesto appartamento?
Do I pay in advance?	Bisogna pagare in anticipo?	bizɔɲɲa pagare in anti'tʃipo?
When can I move in?	Quando posso traslocare?	kwando pɔsso trazlocare?

COUNTRIES AND NATIONS

VOCABULARY

English.	Italian.	Pronunciation.
Africa	L'Africa	l 'afrika
The African	L'africano (a)	l afrikano (a)
African	Africano	afrikano
Albania	L'Albania	l alba'nia
The Albanian	L'albanese	l albanese
Albanian	Albanese	albanese
Alsace-Lorraine	L'Alsazia e la Lorena	al'satsia e lla lor-ɛna
Algeria	L'Algeria	l aldʒe'ria
The Algerian	L'algerino	l aldʒerino
America	L'America	l a'mɛrika
The American	L'americano	l amerikano
Arabia	L'Arabia	l a'rabia
The Arab	L'arabo	l 'arabo
Arabian	Arabo, arabico	'arabo, a'rabiko
Argentine	L'Argentina	l ardʒentina
The Argentinian	L'argentino	l ardʒentino
Asia	L'Asia	l 'azia
The Asiatic	L'asiatico	l a'zjatiko
Asiatic	Asiatico	a'zjatiko
Australia	L'Australia	l au'stralia
The Australian	L'australiano (a)	l australiano (a)
Australian	Australiano	australiano
Austria	L'Austria	l austria
The Austrian	L'austriaco (a)	l au'striako
Austrian	Austriaco	au'striako
The Baltic States	Gli stati baltici	ʎi stati 'baltitʃi
Bavaria	La Baviera	la bavjɛra
The Bavarian	Il bavarese	il bavarese
Bavarian	Bavarese	bavarese
Belgium	Il Belgio	il bɛldʒo
The Belgian	Il belga	il bɛlga
Belgian	Belga	bɛlga

English.	Italian.	Pronunciation.
Brazil	Il Brasile	il brazile
The Brazilian	Il brasiliano (a)	il braziliano (a)
Britain	La Gran Bretagna	la gram bretaɲɲa
The British subject	Il suddito britannico	il ˈsuddito briˈtanniko
Bulgaria	La Bulgaria	la bulgaˈria
The Bulgarian	Il bulgaro	il ˈbulgaro
Canada	Il Canadà	il canaˈda
Carinthia	La Carinzia	la caˈrintsia
Chili	Il Cile	il tʃile
The Chilian	Il cileano	il tʃileˈano
China	La Cina	la tʃina
The Chinese	Il cinese	il tʃinese
Croatia	La Croazia	la kroatsja
Crete	L'isola di Creta	l ˈizola di Kreta
Denmark	La Danimarca	la danimarka
The Dane	Il danese	il danese
Danish	Danese	danese
Egypt	L'Egitto	l edʒitto
The Egyptian	L'egiziano (a)	l edʒitsiano (a)
England	L'Inghilterra	l iŋgilterra
The Englishman	L'inglese	l iŋglese
The Englishwoman	La donna inglese	la dɔnna iŋglese
The English	Gli inglesi, gl'inglesi	ʎi iŋglesi, ʎ inglesi
Esthonia	L'Estonia	l estɔnja
Europe	L'Europa	l eurɔpa
The European	L'europeo	l euroˈpɛo
European	Europeo	euroˈpɛo
Finland	La Finlandia	la finlandja
The Finn	la finlandese	il finlandese
Flanders	Le Fiandre	le fjandre
The Fleming	Il fiammingo	il fjammiŋgo
Flemish	Fiammingo	fjammiŋgo
France	La Francia	la ˈfrantʃa
The Frenchman	Il francese	il frantʃeze
The Frenchwoman	La francese	la frantʃeze

English.	Italian.	Pronunciation.
French	Francese	frantʃeze
Germany	La Germania	la ger'mania
The German	Il tedesco (a)	il tedesko (a)
German	Tedesco	tedesko
Greece	La Grecia	la 'grɛtʃia
The Greek	Il greco (a)	il grɛko (a)
Greek	Greco	grɛko
Holland	L'Olanda	l olanda
The Dutchman	L'olandese	l olandese
The Dutchwoman	La donna olandese	la dɔnna olandese
The Dutch	Gli olandesi	ʎi olandesi
Dutch	Olandese	olandese
Hungary	L'Ungheria	l uŋge'ria
The Hungarian	L'ungherese	l uŋgerese
Hungarian	Ungherese	uŋgerese
Iceland	L'Islanda	l izlanda
India	L'India	l 'india
The Indian	L'indiano	l indiano
Indian	Indiano	indiano
Ireland, Eire	L'Irlanda	l irlanda
The Irishman	L'irlandese	l irlandese
The Irishwoman	La donna irlandese	la dɔnna irlandese
The Irish	Gli irlandesi	ʎi irlandesi
Irish	Irlandese	irlandese
Italy	L'Italia	l i'talia
The Italian	L'italiano (a)	l italiano (a)
Italian	Italiano	italiano
Japan	Il Giappone	il dʒappone
The Japanese	I giapponesi	i dʒapponesi
Jugoslavia	La Iugoslavia	la jugo'slavia
The Jugoslavs	Gli iugoslavi	ʎi jugo'slavi
Latvia	La Lettonia	la let'tonia
The Latvian	Il lettone	il lettone
Lithuania	La Lituania	la litu'ania
Luxembourg	Il Lussemburgo	il lussemburgo
Mexico	Il Messico	il 'mɛssiko
Moravia	La Moravia	la mo'ravia

English.	Italian.	Pronunciation.
The Netherlands	I Paesi Bassi	i paɛzi bassi
New Zealand	La Nuova Zelanda	la nwɔva dzelanda
The New Zealander	Il neozelandese	il neozelandese
Newfoundland	L'isola di Terranova	lˈizola di terranɔva
Norway	La Norvegia	la norvɛdʒa
The Norwegian	Il norvegese	il norvedʒese
Norwegian	Norvegese	norvedʒese
Palestine	La Palestina	la palestina
Persia	La Persia	la ˈpɛrsia
The Persian	Il persiano	il persiano
Poland	La Polonia	la poˈlɔnia
The Pole	Il polacco	il polakko
Polish	Polacco	polakko
Portugal	Il Portogallo	il portogallo
The Portuguese	Il portoghese	il portogese
Prussia	La Prussia	la ˈprussia
The Prussian	Il prussiano	il prussiano
Rumania	La Rumenia	la rumeˈnia
The Rumanian	Il rumeno	il rumɛno
Russia	La Russia	la ˈrussia
The Russian	Il russo	il russo
Russian	Russo	russo
Saxony	La Sassonia	la sassɔnia
Scandinavia	La Scandinavia	la skandiˈnavia
Scotland	La Scozia	la ˈskɔtsia
The Scot, Scotsman	Lo scozzese	lo skottsese
The Scots	Gli scozzesi	ʎi skottsesi
Scottish	Scozzese	skottsese
Spain	La Spagna	la spaɲɲa
The Spaniard	Lo spagnolo	lo spaɲɲɔlo
Spanish	Spagnolo	spaɲɲɔlo
Sweden	La Svezia	la ˈzvɛtsia
The Swede	Lo svedese	lo zvedese
Swedish	Svedese	zvedese
Switzerland	La Svizzera	la ˈzvittsera
The Swiss	Lo svizzero	lo ˈzvittsero

English.	Italian.	Pronunciation.
Syria	La Siria	la ˈsiria
Tunisia	La Tunisia	la tuniˈzia
Turkey	La Turchia	la turˈkia
The Turk	Il turco	il turko
The United States	Gli Stati Uniti	ʎʎi stati uniti
Wales	Il paese del Galles	il paˈɛze del galles
The Welshman	Il gallese	il gallese

PHRASES

What is your nationality ?	Di che nazionalità è Lei ?	di ke natsionaliˈta e lli?
I am English (German, French Russian)	Io sono inglese (tedesco, francese, russo)	io sono iŋglese (tedesko, frantʃeze, russo)
Have you any identification papers ?	Ha dei documenti d'identità ?	a ddei dokumenti d identiˈta ?
I have an English (German, French, Russian passport)	Ho il passaporto inglese (tedesco, francese, russo)	o il passapɔrto iŋglese (tedesko, frantʃeze, russo)
How long have you been here ?	Da quanto tempo è qui ?	da kkwanto tɛmpo ɛ kkwi ?
Here is my registration card	Ecco il mio permesso di soggiorno	ɛkko il mio permesso di soddʒorno
I am Italian by birth	Sono italiano di nascita	sono italiano di ˈnaʃita
I am English by marriage	Sono inglese, perchè moglie di un inglese	sono iŋglese, perˈke mmoʎʎe di un inglese
From which country do you come ?	Da che paese viene Lei ?	da kke ppaeze vjɛne lɛi ?
I have been deprived of my nationality	Ho perduto la mia nazionalità	ɔ pperduto la mia natsionaliˈta
You are stateless	Lei è apolide	lɛi ɛ aˈpolide
I am homeless	Sono senza tetto	sono sentsa tetto

English.	Italian.	Pronunciation.
Can I claim British nationality ?	Posso chiedere la nazionalità britannica ?	pɔsso ˈkjɛdere la natsionaliˈta briˈtannika ?
Are you a naturalised Swiss ?	Lei è naturalizzato svizzero ?	lɛi ɛ nnaturaliddʒato ˈsvittsero ?
I want to travel to Poland	Voglio andare in Polonia	vɔʎʎo andare im poˈlɔnia
Can I enter the Russian-occupied zone ?	Posso entrare nella zona occupata dai russi ?	pɔsso entrare nella dzɔna okkupata dai russi ?
My mother-tongue is Italian	La mia lingua paterna è l'italiano	la mia liŋgwa paterna ɛ ll italiano
Are you a foreigner ?	Lei è straniero ?	lɛi ɛ sstraniero ?
I have travelled through France	Ho traversato la Francia	ɔ ttraversato la frantʃa
He has returned from the Far East	È ritornato dall'estremo Oriente	ɛ rritornato dall estrɛmo oriɛnte
Are you a British subject ?	Lei è suddito britannico ?	lɛi ɛ ˈssuddito briˈtanniko ?
Do you speak English (Italian, French) ?	Parla inglese (italiano, francese) ?	parla inglese (italiano, frantʃɛze) ?
I can only speak a little French	Parlo un poco francese	parlo um pɔko frantʃese
I can read it, but I cannot speak it	Lo leggo, ma non lo parlo	lo lɛggo, ma nnon lo parlo
I shall have to take Italian lessons	Dovrò prendere delle lezioni d'italiano	doˈvrɔ ˈpprɛndere delle letsioni d italiano
Can you recommend a good teacher ?	Mi sa suggerire il nome di un bravo insegnante ?	mi sa ssuddʒerire il nome di um bravo inseɲɲante ?
Can you understand me ?	Mi capisce ?	mi kapiʃe ?

English.	Italian.	Pronunciation.
Please speak a little more slowly	Per piacere parli un po' più adagio	per piatʃere parli um pɔ ppju adadʒo
I did not understand you	Non ho capito	non ɔ kapito
Could you please translate this for me ?	Potrebbe per favore tradurmi questo ?	potrɛbbe per favore, tradurmi kwesto ?
You have a good (bad) pronunciation	Lei ha una buona (cattiva) pronuncia	lɛi a una bwɔna (kattiva) pronuntʃa
How do you spell this word ?	Come si scrive questa parola ?	kome si skrive kwesta parɔla ?
Do you understand the Turinese dialect ?	Capisce il torinese ?	kapiʃe il torinese ?
No, I need an interpreter	No, ho bisogno di un interprete	no, ɔ bbizoɲɲo di un in'tɛrprete

ARMY, NAVY, AIR FORCE

VOCABULARY

ARMY :

The soldier	Il soldato	il soldato
The automatic rifle	La carabina automatica	la karabina auto'matika
The bayonet	La baionetta	la bajonetta
The machine-gun	La mitragliatrice	la mitraʎʎatritʃe
The ammunition	Le munizioni	le munitsioni
The gun	Il cannone	il kannone
The heavy howitzer	L'obice pesante	l 'ɔbitʃe pezante
The flame-thrower	Il lanciafiamme	il lantʃafjamme
The smoke mortar	Il lanciafumo	il lantʃafumo
The rocket	Il razzo	il raddzo
The tank	Il carro armato	il karro armato

English.	Italian.	Pronunciation.
The camouflage	Il mimitizzamento	il mimitiddsamento
The barracks	La caserma	la kazɛrma
The garrison	La guarnigione	la gwarnidʒone
The army of occupation	L'esercito di occupazione	l eˈzɛrtʃito di okkupatsione
The town major	Il commandante militare	il komandante militare
RANKS:	I Gradi:	i gradi :
The private	Il soldato semplice	il soldato ˈsemplitʃe
The trooper	Il soldato di cavalleria (il cavallegiero)	il soldato di kavalleˈria (il kavalleddʒero)
The gunner	L'artigliere	l artiʎɛre
The sapper	Lo zappatore, il soldato del genio	lo tsappatore, il soldato del dʒenjo
The signaller	Il segnalatore	il seɲɲalatore
The orderly	L'attendente	l attendɛnte
The N.C.O.	Il sott'ufficiale	il sottuffitʃale
The lance-corporal	Il caporale	il kaporale
The corporal	Il caporalmaggiore	il kaporalmaddʒore
The sergeant	Il sergente	il serdgɛnte
The second lieutenant	Il sottotenente	il sottotenɛnte
The lieutenant	Il tenente	il tenɛnte
The captain	Il capitano	il kapitano
The major	Il maggiore	il maddʒore
The lieutenant-colonel	Il tenente colonnello	il tenɛnte kolonnɛllo
The colonel	Il colonnello	il kolonnɛllo
The major-general	Il generale di brigata	il dʒenerale di brigata
The lieutenant-general	Il generale di divisione	il dʒenerale di divizjone
The general	Il generale	il dʒenerale
The field-marshal	Il maresciallo	il mareʃallo

NAVY :

English.	Italian.	Pronunciation.
The fleet	La flotta	la flɔtta
The man-of war	La nave da guerra	la nave da ggwɛrra
The battleship	La corazzata	la korattsata
The cruiser	L'incrociatore	l iŋkrotʃatore
The destroyer	Il caccia-torpedi-niere	il kattʃa-torpedi-niɛre
The motor torpedo-boat	La torpediniera (a motore)	la torpediniɛra (a mmotore)
The submarine	Il sottomarino	il sottomarino
The mine-sweeper	Il dragamine	il dragamine
The depth-charge	La bomba di pro-fondità	la bomba di pro-fondi'ta
The range	La distanza, la di-rezione, la por-tata	la distantsa, la di-retsione, la por-tata
The port, harbour	Il porto	il pɔrto
The convoy	Il convoglio	il konvɔλλo
To sink	Colare a picco, affon-dare	kolare a ppikko, af-fondare
To scuttle	Auto-affondarsi	auto-affondarsi
Ranks :	I Gradi:	i gradi :
The ordinary sea-man	Il marinaio	il marinajo
The telegraphist	Il radiotelegrafista, il marconista	il radiotelegrafista il markonista
The stoker	Il fuochista	il fwokista
The petty officer	Il capo	il kapo
The chief petty officer	Il capo di prima classe	il kapo di prima klasse
The midshipman	Il guardiamarina	il gwardiamarina
The sub-lieutenant	Il sottotenente di vascello	il sottotenɛnte di vaʃello
The lieutenant	Il tenente di vascello	il tenɛnte di vaʃello

English.	Italian.	Pronunciation.
The lieutenant-commander	Il capitano di corvetta	il kapitano di korvetta
The commander	Il capitano di fregata	il kapitano di fregata
The captain	Il capitano di vascello	il kapitano di vaʃello
The submarine commander	Il comandante di sommergibile	il komandante di sommerˈdʒibile
The admiral	L'ammiraglio	l ammiraλλo

AIR FORCE :

The pilot	Il pilota	il pilɔta
The wireless operator	Il marconista	il markonista
The crew	L'equipaggio	l ekwippaddʒo
The fighter	Il caccia	il kattʃa
The bomber	La bombardiera	la bombardjɛra
The jet plane	L'aeroplano a reazione	l aeroplano a rreatsione
The high-explosive bomb	La bomba dirompente	la bomba dirompɛnte
The incendiary bomb	La bomba incendiaria	la bomba intʃendjarja
The air-raid	L'incursione aerea	l inkursjone aˈɛrea
The attack	L'attacco	l attakko
The A.R.P. (Air Raid Precautions)	Difesa Civile contro gli attacchi aerei	difesa tʃivile kontro λi attakki aˈɛrei
The ground personnel	Il personale a terra	il personale a tterra
The tarmac	La pista di decollo	la pista di dekɔllo
The aerodrome	L'aerodromo	l aerodrɔmo
The barrage balloon	Il pallone frenato	il pallone frenato
To take off	Decollare	dekollare
To land	Atterrare	atterrare

English.	Italian.	Pronunciation.
To alight on water	Ammarare	ammarare
To crash	Abbattersi al suolo	ab'battersi al swolo
RANKS :	I Gradi:	i gradi :
The aircraftman	L'aviere	l avjɛre
The leading air-craftman	Il primo aviere	il primo avjɛre
The sergeant	Il caposquadra	il kaposkwadra
The warrant officer	Il maresciallo	il mareʃallo
The pilot officer	Il sottotenente (d'aviazione)	il sottotenɛnte (d avjatsione)
The flying officer	Il tenente (d'aviazione)	il tenɛnte (d avjatsione)
The flight-lieutenant	Il capitano (d'aviazione)	il kapitano (d avjatsione)
The squadron-leader	Il maggiore (d'aviazione)	il maddʒore (d avjatsione)
The wing-commander	Il tenente colonnello (d'aviazione)	il tenɛnte kolonnɛllo (d avjatsione)
The group-captain	Il colonnello (d'aviazione)	il kolonnɛllo (d avjatsione)
The air-commodore	Il generale di brigata (d'aviazione)	il dʒenerale di brigata (d avjatsione)
The air vice-marshal	Il generale di divisione (aviatore)	il dʒenerale di divizione (avjatore)
The air-marshal	Il maresciallo dell'aria	il mareʃallo del arja
The war	La guerra	la gwɛrra
The battle	La battaglia	la battaʎʎa
The victory	La vittoria	la vit'tɔria
The defeat	La disfatta	la disfatta
The retreat	La ritirata	la ritirata
The armistice	L'armistizio	l armi'stitsio
The peace treaty	Il trattato di pace	il trattato di patʃe

English.	Italian.	Pronunciation.
The prisoner of war	Il prigioniero di guerra	il pridʒoniɛro di gwɛrra
The camp	Il campo	il kampo
To call up	Chiamare alle armi	kjamare alle armi
To demobilise	Smobilitare	zmobilitare
To serve	Fare il servizio militare	fare il servitsio militare
To fight	Combattere, battersi	kom'battere, 'battersi
To shoot	Sparare	sparare
To conquer	Vincere, conquistare	'vintʃere, konkwistare

PHRASES

Have you done your national service ?	Lei ha fatto il servizio militare ?	lɛi a ffatto il servitsio militare ?
In which service were you ?	È stato nell'esercito, in marina o in aviazione ?	ɛ sstato nel e'zɛrtʃitɔ, im marina o in avjatsione ?
I served in the navy	Ho fatto il servizio militare in marina	ɔ ffatto il servitsio militare in marina
I served in the army	Ho fatto il soldato	ɔ ffatto il soldato
In which branch of the service were you ?	In che arma ha servito ?	iŋ ke arma a sservito ?
I was a private in an armoured formation	Sono stato carrista	sono stato karrista
What is your military rank ?	Che grado ha Lei ?	ke ggrado a llɛi ?
Are you an officer ?	È ufficiale ?	ɛ uffitʃale ?
I am a captain in the Royal Engineers	Sono capitano del genio	sono kapitano del 'dʒɛnio

English.	Italian.	Pronunciation.
How long were you in the army?	Quanto tempo è stato nell'esercito?	kwanto tɛmpo ɛ sstato nell e'zɛrtʃito?
I am a sailor	Sono marinaio	sono marinajo
I joined up three years ago	Mi sono arruolato tre anni fa	mi sono arruolato tre anni fa
Were you called up?	Lei è stato chiamato alle armi?	lɛi ɛ sstato kjamato alle armi?
I am an airman	Sono aviatore	sono avjatore
Did you take part in an air-raid?	Ha preso parte a qualche attacco aereo?	a ppreso parte a kkwalke attakko a'ɛreo?
I belonged to the ground personnel	Io appartenevo al personale a terra	io appartenevo al personale a tterra
Were you a submarine commander?	Lei è stato comandante di un sommergibile?	lɛi ɛ sstato komandante di un sommer'dʒibile?
No, I was a lieutenant in a cruiser	No, ero tenente di vascello a bordo d'un incrociatore	no, ero tenɛnte di vaʃɛllo a bbordo d un iŋkrotʃatore
The ship was sunk, but the crew was saved	La nave è colata a picco, ma l'equipaggio è stato salvato	la nave ɛ kkolata a ppikko ma ll ekwipaddʒo ɛ sstato salvato
How many men-of-war are lying in the harbour?	Quante navi da guerra ci sono nel porto?	kwante navi da ggwɛrra tʃi ssono nel pɔrto?
The fleet has put out to sea	La flotta ha preso il mare	la flɔtta a ppreso il mare
I was a parachutist	Ero paracadutista	ero parakadutista
How long did your training last?	Quanto tempo è durato il suo addestramento?	kwanto tɛmpo ɛ ddurato il suo addestramento?
We took the fortress by storm	Prendemmo la fortezza d'assalto	prendɛmmo la fortettsa d assalto

English.	Italian.	Pronunciation.
They established a bridge-head	Stabilirono una testa di ponte	stabiˈlirono una tɛsta di ponte
The enemy is in full retreat	Il nemico è in piena ritirata	il nemiko ɛ im pjɛna ritirata
The army was beaten (annihilated)	L'esercito è stato sconfitto (sbaragliato)	l eˈzertʃito ɛ sstato skomfitto (zbaraʎʎato)
Were you decorated in the war?	È stato decorato in guerra Lei?	ɛ sstato dekorato iŋ gwɛrra lɛi?
Were you wounded?	È stato ferito?	ɛ sstato ferito?
He is disabled	È mutilato	ɛ mmutilato
In which hospital were you?	In che ospedale è stato Lei?	iŋ ke ospedale ɛ sstato lɛi?
I am going on leave	Vado in licenza	vado in litʃentsa
He is demobilised	È stato smobilitato	ɛ sstato zmobilitato
He is fit (unfit) for service	È atto (inatto) al servizio militare	ɛ atto (inatto) al servitsio militare
I was a prisoner of war	Sono stato prigioniero di guerra	sono stato pridʒoniɛro di gwɛrra
When were you taken prisoner?	Quando è stato fatto prigioniero?	kwando ɛ sstato fatto pridʒoniɛro?
Shortly before the armistice	Poco tempo prima dell'armistizio	pɔko tɛmpo prima del armistitsio
How long did you serve in the W.R.N.S.?	Quanto tempo ha servito Lei nel servizio ausiliare femminile della marina?	kwanto tɛmpo a sservito lɛi nel servitsio ausiliare femminile della marina?
She is an officer in the W.R.A.F.	Essa è ufficiale nel servizio ausiliare femminile della R.A.F.	essa ɛ uffitʃale nel servitsio ausiliare femminile della raf
My sister is a Red Cross nurse	Mia sorella è crocerossina	mia sorella ɛ kkrotʃerossina

IN VENICE

VOCABULARY

English.	Italian.	Pronunciation.
The gondola	La gondola	la 'gondola
The canal	Il canale	il kanale
The little street	La calle	la kalle
The little square	La piazzetta	la pjattsetta
The little steamer	Il vaporetto	il vaporetto
The anchored raft	Il galleggiante	il galleddʒante

PHRASES

Can one go in a gondola from the station to the hotel?	Si può andare in gondola dalla stazione all'albergo?	si pwɔ andare iŋ 'gondola dalla statsione all albergo?
Certainly. There are no taxis in Venice	Sicuro. Non ci sono tassì a Venezia	sikuro, non tʃi ssono tas'si a vve'netsia
Is it possible to cross the Lagoon in a gondola?	È possibile traversare la laguna in gondola?	ɛ ppos'sibile traversare la laguna iŋ 'gondola?
Yes, but it takes rather a long time. I should go in a little steamer if I were you	Sì, ma ci vuole un po' di tempo. Se fossi in Lei, andrei in vaporetto	si, ma ttʃi vwɔle un pɔ di tempo. se fossi in lɛi, andrɛi in vaporetto
Can you tell me of some typical little Venetian restaurant where I can eat " scampi " (shellfish)?	Mi sa indicare qualche piccolo ristorante tipicamente veneziano dove posso mangiare gli scampi?	mi sa indikare kwalke 'pikkolo ristorante tipikamente venetsiano dove pɔsso mandʒare ʎʎi skampi?
I am tired of the large cosmopolitan hotels	Sono stufo di questi grandi alberghi cosmopoliti	sono stufo di kwesti grandi albergi kosmopoliti

English.	Italian.	Pronunciation.
Let us go on the lagoon this evening and hear the songs from the rafts	**Andiamo sulla laguna questa sera a sentire le canzoni dai galleggianti**	andjamo sulla laguna kwesta sera a ssentire le kantsoni dai galleddʒanti